D1316690

Bla

CONSUELO
DE SAINT-EXUPÉRY

LA ROSE DU PETIT PRINCE

DU MÊME AUTEUR
Aux Éditions du Félin

L'Affaire Pétain, 1993.

Mitterrand, l'autre histoire, 1945-1995, 1995.

Saint-Exupéry, vie et mort du petit prince, 1993,
nouvelle édition revue et complétée, 2000.

L'Or de Kruger, 1997.

Illustration de couverture : collection particulière, Mireille Dimas (famille Suncin).

Crédits photos pour les cahiers d'illustration : Mireille Dimas (famille Suncin), Lucie Calderón, Madeleine Goisot, Roger-Viollet, et l'aimable concours de la Maison du Mexique, à Paris, pour la photographie de Gómez Carrillo. Portraits de Consuelo, dans les années trente, par Desmond Harmsworth, reproduits avec l'autorisation de Mme Margaret Harmsworth.

© Droits réservés pour toutes les illustrations de l'ouvrage.

Tous droits de traduction, de reproduction et d'adaptation réservés pour tous les pays.

© Éditions du Félin, 2000
10, rue La Vacquerie, 75011 Paris
ISBN : 2-86645-375-1

928.41 5137w
(pt. bleu)

27,95 $
05/02

PAUL WEBSTER

CONSUELO DE SAINT-EXUPÉRY

LA ROSE DU PETIT PRINCE

KIRON
ÉDITIONS
DU FÉLIN

REJETÉ

BEACONSFIELD
BIBLIOTHÈQUE · LIBRARY
303 Boul. Beaconsfield Blvd., Beaconsfield, PQ
H9W 4A7

Consuelo de Saint-Exupéry dans les années trente.
Portrait de Desmond.

À Angelo, Roland et Antony

REMERCIEMENTS

Cette biographie n'aurait pu être écrite sans l'inestimable collaboration de maître Mireille Dimas, nièce de Consuelo de Saint-Exupéry, à qui j'exprime toute ma reconnaissance et particulièrement pour m'avoir autorisé la reproduction de photos inédites de la famille Suncin.

Je tiens également à remercier le docteur Francisco Mena Guerrero, Maruca de Gallardo, Manuel Sorto, Claude Werth, Maurice Druon et Jacqueline Gury pour leur coopération, avec une pensée particulière pour Lucie Calderón et Madeleine Goisot.

Merci à ma petite équipe de traducteurs, Thérèse Urrutia, Agustin Lopez-Diaz, Mathilde, Marie Carmen, Nathalie Reichert et Fernand Fernandez qui n'ont pas hésité à donner de leur temps pour m'aider à décrypter de nombreux documents en espagnol. Dans le domaine de la traduction, j'exprime aussi ma gratitude à Jérémie Lennard pour son énorme travail et son aimable disponibilité. Mes remerciements vont enfin à Aldo Lauria Santiago, professeur associé à Worcester, Mass, pour ses recherches sur l'histoire d'El Salvador. Et mes amitiés à mon éditeur, Bernard Lefort, toujours autant présent que patient.

PRÉFACE

En 1992, lorsque je préparais mon ouvrage sur Antoine de Saint-Exupéry, *Vie et mort du petit prince*, un vétéran de l'aviation me proposa de rencontrer Pierre Chevrier, l'auteur de la première biographie qui dévoila la vie privée de l'aviateur, parue en 1949 et épuisée depuis longtemps. Ce livre intimiste qui insiste sur les goûts, les habitudes, les humeurs de l'écrivain et donne des extraits de sa correspondance à un ami très proche ne consacre que deux lignes à un événement crucial dans la vie de Saint-Exupéry : son mariage, en 1931, avec une Salvadorienne, Consuelo Suncin.

Après la mention de cette union, Consuelo semble disparaître de l'existence d'Antoine, ce qui laisse penser, compte tenu du ton de la biographie, que Saint-Exupéry aurait abandonné son épouse pour une relation avec Chevrier décrit comme « un ami journaliste d'avant la guerre ».

Le malentendu fut levé quand Pierre Chevrier arriva à mon bureau en la personne d'une élégante dame d'environ quatre-vingts ans. Ce n'est que quelques jours plus tard qu'elle accepta de me révéler sa véritable identité : Nelly de Vogüé, femme d'affaires et romancière, qui apporta à Antoine une assistance financière et professionnelle, ainsi qu'un réconfort affectif, pendant les dix dernières années de sa vie.

Après la mort de Saint-Exupéry, elle entreprit avec dévotion de faire connaître l'intégralité de son œuvre en corrigeant et éditant son vaste legs de notes philosophiques qui constituèrent *Citadelle*. Elle publia également, mais anonymement, une grande partie des lettres d'Antoine sous le titre *Lettres à X*, et joua un rôle appréciable dans la connaissance de ses écrits en fondant et parrainant l'Association des amis de Saint-Exupéry.

En 1994, toujours sous le pseudonyme de Pierre Chevrier, elle fit partie d'un comité d'auteurs qui publièrent un panégyrique de la vie et de l'œuvre d'Antoine, intitulé *Un sens à la vie,* dans lequel Consuelo n'est mentionnée qu'une fois, et dans un sens négatif.

Il s'est avéré que la réticence de Nelly de Vogüé à évoquer la femme de Saint-Exupéry résulte plus de sentiments personnels que d'une approche littéraire. Elle considérait Consuelo comme une force destructrice et immorale, indigne d'occuper la première place dans le cœur d'Antoine. « Une garce » selon sa sœur, Simone de Saint-Exupéry, qui déshonorait le nom de la famille et son titre de comtesse avec ses scandaleuses infidélités.

Néanmoins, cette condamnation non étayée n'explique pas pourquoi Nelly de Vogüé, si consciencieuse dans l'analyse des livres de Saint-Exupéry, évita toujours de faire état du lien qui existe entre Consuelo et la rose du *Petit Prince*, et ne lui attribua jamais aucun crédit dans la création d'autres de ses ouvrages. Accepter de voir « un petit oiseau de proie », comme Nelly aimait décrire Consuelo, à jamais immortalisé sous les traits d'une fleur, dans l'un des livres les plus universellement connus, fut certainement très difficile. Après la disparition d'Antoine, les deux femmes s'affrontèrent publiquement dans un procès sur l'héritage littéraire de l'écrivain et particulièrement *Citadelle*, léguée à Nelly par son auteur.

L'exclusion de Consuelo des biographies et d'études littéraires continua pendant presque trente ans jusqu'à ce que Jean Lasserre et Edmond Petit entreprennent de rassembler une masse de témoignages sur Saint-Exupéry, l'homme, l'écrivain et le pilote, pour le magazine d'Air France, *Icare*. Ce remarquable travail, la publication d'une Vie de Saint-Exupéry écrite par un Américain, Curtis Cate, et ma biographie, parue en 1993, contribuèrent à faire reculer l'ostracisme qui frappait Consuelo. Mais son histoire restait à raconter, en particulier parce que nous ignorions tout de sa vie avant sa rencontre avec Antoine. Ce livre tente de combler cette lacune afin de mieux apprécier la démesure de son extravagante vie sentimentale.

La récente apparition de quelques-unes des lettres d'amour d'Antoine à Consuelo, et une interprétation objective de *Citadelle*, montrent la ferveur de sa dévotion et son indéfectible attachement à sa rose, au moment où une coalition de parents et d'amis le poussait à divorcer.

À contrario, la parution en 2000 des souvenirs de Consuelo, aux Éditions Plon, révèle les souffrances qu'elle endura, confrontée à l'instabilité sentimentale et aux infidélités de son mari. Ces notes dactylographiées apportent la confirmation des confidences qu'elle fit, vers la fin de sa vie, à son compatriote Salvadorien, Francisco Mena Guerrero. Selon ce journal intime, qui ressemble à l'ébauche d'un roman où elle ne dévoile aucun nom, tous les travers, les négligences, le libertinage et le manque de considération que l'on a imputés à Consuelo, émanaient de Saint-Exupéry. Quelques années après leur mariage, la vie à deux était devenue intolérable, et Antoine promettait toujours le retour du bonheur si elle s'armait de patience. Tous ces paradoxes, qui ponctuèrent l'existence d'un couple impossible, restent inexplicable à la lecture de nombreuses lettres d'Antoine à sa femme, exprimant un ineffable sens de gratitude et de reconnaissance, si bien exprimé dans *Le Petit Prince*.

Voici donc comment une frêle et asthmatique jeune fille d'Amérique centrale, dotée d'un extraordinaire pouvoir de séduction, «apprivoisa» Saint-Exupéry – sa métaphore pour «tomber amoureux» – et devint une image emblématique du livre français le plus traduit. Après treize ans d'un mariage libre et tumultueux qui les poussa tous les deux à chercher refuge auprès d'autres partenaires, elle restait dans son cœur quand il s'écrasa en Méditerranée le 31 juillet 1944. La preuve nous en a été apportée récemment avec la découverte en mer de sa gourmette gravée du prénom «Consuelo». Comme le Petit Prince, Antoine ne pouvait casser ses liens affectifs avec sa fleur et ne douta pas en des retrouvailles dans l'éternité.

«Consuelo, merci d'être ma femme», écrivit-il peu de temps avant sa mort.

«Si je suis blessé j'aurai qui me soignera,

Si je suis tué j'aurai qui attendre dans l'éternité,

Si je reviens j'aurai vers qui revenir.»

PREMIÈRE PARTIE

1901-1930

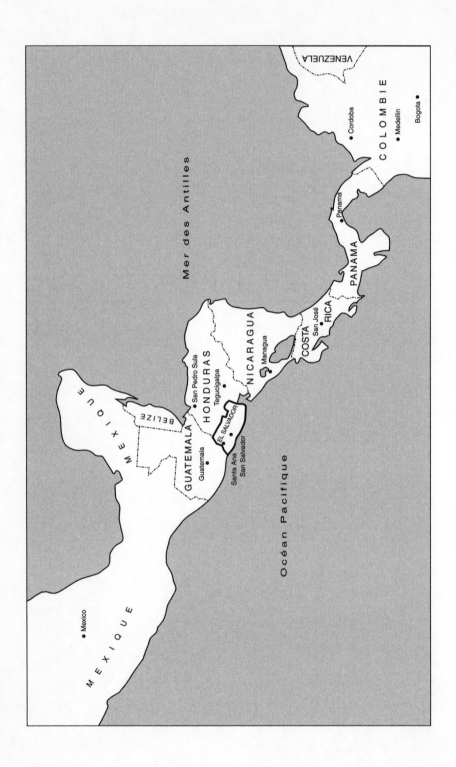

Un pays de volcans

Parmi tous les volcans dispersés le long de l'isthme de l'Amérique centrale, Izalco est un cône singulier de lave noire et de cendres qui culmine à 1 910 mètres dans la région ouest d'El Salvador et évoque la parfaite réprésentation enfantine d'une montagne crachant le feu de la terre. Avant février 1770, il n'existait à son emplacement qu'un vaste orifice d'où s'échappaient des colonnes de fumée noire, quand le cratère entra en éruption en formant un monticule qui, en peu de temps, atteignit des dimensions prodigieuses.

Lorsque Antoine de Saint-Exupéry aperçut pour la première fois Izalco, en 1938, quand il se rendit en El Salvador pour rencontrer la famille de sa femme, Consuelo, il put constater l'admiration mêlée de crainte de la population locale pour ce fanal naturel nimbé de rouge, dominant l'océan, connu par tous les marins et aviateurs du monde sous le nom de Phare du Pacifique. Saint-Exupéry avait survolé les nombreux volcans des vastes étendues sauvages de la Patagonie quand il transportait le courrier pour Aeroposta Argentina, mais l'on peut sans trop de fantaisie voir dans l'inquiétante silhouette d'Izalco et ses volutes de fumée blanche l'inspiration pour les illustrations des deux pics volcaniques du *Petit Prince* qui menacent l'existence même de l'astéroïde du garçon aux cheveux blonds. Saint-Exupéry écrivit le conte cinq ans après sa découverte du pinacle s'élevant au-dessus des plaines fertiles de la région de Sonsonate, un maillon d'une chaîne de vingt-cinq volcans éteints ou en activité sporadique.

Néanmoins, la fable qui à première lecture semble destinée aux enfants recèle une empreinte salvadorienne beaucoup plus subtile, mais dont l'origine ne fait aucun doute. Consuelo, née au pied d'Izalco, est à jamais immortalisée sous l'apparence de la Rose qui «embaumait et éclairait» le Petit Prince sur une planète aux dimensions d'une maison. Antoine lui exprima ses regrets de ne pas lui avoir dédié le livre, une petite défaillance parmi d'autres pour lesquelles il lui demandait pardon vers la fin de sa vie dans une abondante correspondance. Mais à ce moment de son existence, il avait transformé «la petite graine qui venait d'ailleurs» en un conte merveilleux, l'intégrant aux mythes et légendes qui formaient avec Izalco la toile de fond de son enfance.

Une naissance dans la violence

Si, dans un livre, pour plus d'effet, un écrivain embellit des détails autobiographiques, on loue ses qualités de romancier. Si quelqu'un utilise verbalement le même procédé, il sera sûrement traité de menteur. Consuelo possédait un don de conteuse exceptionnel et ne pouvait se satisfaire de rapporter des faits ordinaires. Originaire d'un pays tropical aux traditions orales riches de légendes et d'un folklore qui mêlait le fantastique des rites païens au mystère de la Sainte Trinité chrétienne, elle éprouvait le besoin d'exercer son talent devant des auditeurs médusés par sa volubilité et son exubérance. Subjugué par sa personnalité, l'un de ses admirateurs, José Vasconcelos, le politicien libéral mexicain, poète et auteur prolifique, la surnomma la «Shéhérazade tropicale» et la revendiqua comme sa muse.

Dans les récits de Consuelo, il est difficile de deviner où commence l'imaginaire littéraire et quand s'exprime la pure affabulation. Sa première dissimulation envers Antoine ressortit plus à la coquetterie qu'à un désir véritable de duper. Pour son acte de mariage, dressé à Nice le 22 avril 1931, elle donna comme date de naissance le 10 avril 1902 alors qu'elle naquit exactement un an plus tôt en 1901. Cette petite supercherie passa inaperçue malgré la méticulosité de l'administration locale quand, avec beaucoup de persuasion, Consuelo déclara que tous les documents de l'état civil de son pays avaient été détruits au cours d'une récente révolution. En soustrayant une année de son âge réel, elle pouvait annoncer vingt-neuf ans au lieu de trente, une bénigne expression de vanité qui prit de l'ampleur avec le temps, puisqu'en 1979 elle fut inhumée sous une pierre tombale au Père-Lachaise où figure 1907 comme date de sa naissance.

En fait, le certificat original ne fut jamais perdu. Les autorités d'Armenia, une petite ville rurale située au nord-ouest de la capitale, San Salvador, délivrèrent sans difficulté une photocopie de l'acte manuscrit porté dans le registre des naissances. Le document montre une déclaration des prénoms Maria Consuelo, par les parents Colonel Felix Sunzin *(sic)* et Ercilia Sandoval, un couple d'agriculteurs propriétaires d'une plantation de café dans une région traditionnellement en butte aux rébellions indigènes.

19

La date de naissance exacte mise à part, un autre détail aurait pu inciter Consuelo à ne pas produire une ampliation de l'acte où elle est décrite comme *ladina*, une métisse d'origines européenne et indienne, un héritage qu'elle partageait avec la majorité des habitants de l'Amérique centrale. Néanmoins, ce n'était pas l'ascendance dont il fallait s'enorgueillir quand on se préparait à entrer dans l'aristrocratie française, et en particulier dans une famille catholique et réactionnaire pour laquelle, selon l'un des membres : « À l'époque, épouser une étrangère était pire qu'épouser une juive. »

Pour le non-conformiste Saint-Ex, ce lien ténu avec les anciennes civilisations aztèque et pipil, adoratrices du soleil, aurait sans doute ajouté au mystère de la jeune femme. Il tomba amoureux et épousa Consuelo pour les raisons mêmes qui enchantaient son entourage depuis sa tendre enfance grâce à une séduisante personnalité, une voix mélodieuse, un esprit curieux et un ravissant visage qui ensorcela beaucoup d'hommes plus avertis que le quelque peu naïf Antoine. À ce physique agréable elle alliait des aptitudes de comédienne qu'elle utilisait avec intelligence et intuition, et la faculté d'inventer un langage coloré et imagé qui fascina l'écrivain et qu'il sut quelquefois remodeler et utiliser selon son inspiration.

La disparité morphologique entre ces deux êtres était surprenante et incongrue. La rencontre d'un rêveur épris d'aventures à la démarche pesante, que l'on comparait quelquefois à celle d'un ours, un géant à côté de cette petite créature gazouillante comme un oiseau qu'il aimait appeler «plume d'or» en la suppliant d'apporter son merveilleux désordre dans sa vie.

Le couple n'avait pratiquement rien en commun, hormis le même âge : Antoine vint au monde le 29 juin 1900, seulement neuf mois avant Consuelo. Sinon, ils avaient vécu dans des pays de traditions culturelles radicalement différentes jusqu'à leur rencontre fortuite à Buenos Aires en septembre 1930, au cours d'une réception organisée par l'Alliance française. Par leur histoire, leur langue et leur culture, leurs milieux respectifs semblaient aussi éloignés l'un de l'autre que la côte française atlantique de celle salvadorienne de l'océan Pacifique.

Alors qu'Antoine perdait son père à l'âge de trois ans, passait une enfance idyllique auprès de trois sœurs et d'un frère cadet, puis poursuivait une éducation classique chez les pères, Consuelo grandissait sous la menace d'Izalco dans le village d'un pays pauvre, dirigé par une poignée d'Espagnols expatriés et autocrates qui régnaient en maîtres sur les indigènes uniquement en vertu de leur descendance des Conquistadors du XVIe siècle. À côté de la puissance de la France dans tous les domaines, El Salvador semblait insignifiant avec ses 20 000 km^2 et sa population d'à peine un million d'habitants, tandis que même les États voisins du Guatemala, du Honduras et du Nicaragua paraissaient des géants.

Dès son plus jeune âge, le physique de Consuelo fut atypique, différent de celui des *ladinos*, descendants des natifs paysans et des miséreux immigrés espagnols. À l'époque de la naissance de Consuelo, cette forte population métissée commençait à former la classe moyenne du pays. Sa sveltesse et sa petite stature – elle mesurait à peine 1,62 mètre à l'âge adulte – lui venaient de l'ascendance espagnole de sa mère originaire du Guatemala. Cette petite femme frêle, au visage marqué par la douleur à la suite de la perte de ses quatre fils morts de maladie en bas âge, semblait bien vulnérable à côté de la carrure trapue de son mari qu'il tenait de son héritage indien. Ensemble, ils cultivaient les terres apportées en dot par Ercilia Suncin, née Sandoval, et celles allouées par le gouvernement au terme d'une carrière militaire active.

Le père jouissait d'une position influente avec un grade de colonel de réserve gagné pendant les multiples escarmouches avec le Guatemala. Deux de ses frères avaient également accédé à ce rang, un avantage considérable pour une famille dont la prospérité terrienne dépendait de la docilité d'une main-d'œuvre indienne et d'une connivence avec les quatorze clans autocratiques qui régentaient le petit État sur la côte du Pacifique.

L'environnement magique, humide et luxuriant, riche en couleurs de la jeunesse de Consuelo n'avait rien de comparable avec le parc du château de Saint-Maurice-de-Rémens, près de Lyon, scène des vacances romantiques des enfants Saint-Exupéry qu'Antoine évoque avec nostalgie dans plusieurs de ses livres.

Consuelo et ses deux plus jeunes sœurs, Dolores et Amanda, grandirent dans une immense maison de style espagnol avec un patio intérieur fleuri sur lequel donnaient toutes les pièces de la maison. L'exotisme que rechercha toute sa vie l'aviateur en ouvrant des lignes aériennes vers l'Afrique et l'Amérique du Sud faisait partie de l'être même de Consuelo. Même son imagination ne pouvait lui donner la clé de l'impénétrable mysticisme d'El Salvador, peuplé de devins et de magiciennes, gardiens des recettes secrètes de filtres d'amour et de potions maléfiques.

Situé sur la même latitude que le Sénégal, entre le tropique du Cancer et l'équateur, El Salvador est une contrée d'extrêmes contrastes où, pendant six mois de l'année, des pluies torrentielles cascadent sur les ruines des pyramides à degrés de Tazumal et Sandres abandonnées par les Mayas au moins cinq siècles avant l'arrivée des Européens. À cette période d'intense moiteur succède la saison sèche et chaude aussi pesante que la précédente. Avant la culture du café, l'intérieur était une jungle inquiétante peuplée d'oiseaux aux couleurs flamboyantes, et de serpents à la grâce hynoptisante, où poussaient des plantes aux propriétés mystérieuses. Cette masse verte luxuriante s'éclaircissait abruptement sur les flancs fertiles des volcans enveloppés de brume, habitat des Indiens indigènes insoucieux des risques d'éruption de lave au-dessus de leurs têtes.

Pendant l'enfance de Consuelo, ces images envoûtantes semblaient immuables dans un paysage régulièrement ravagé par des tremblements de terre, mais qui, d'une façon étrange, cache des petits sanctuaires naturels à la beauté stupéfiante. À une trentaine de kilomètres de la maison natale de Consuelo, le dôme vert du Cerro Verde et les deux cônes hostiles des volcans Izalco et Santa Ana se reflètent dans les eaux bleues du lac de Coatepeque, une merveille de 120 mètres de profondeur qui dort dans un ancien cratère. Une telle sérénité est rare en El Salvador où la fatalité des séismes a imprégné le folklore local, avec le thème d'une vengeance divine fréquemment évoquée par des prêtres, qualifiés de vaudouistes par Consuelo faute de mot plus approprié. Ceux-ci lisaient dans les bouleversements terrestres un châtiment mérité, seule théorie concevable pour expliquer sept destructions de la capitale San Salvador entre 1854 et 1917 et la mort de milliers de personnes.

Alors qu'Antoine jouait dans le parc du château familial parmi les tilleuls et les rosiers, Consuelo entendait le grondement de nouvelles catastrophes, des rumeurs d'inondations, de lacs qui débordent quand d'autres se vident, comme des vases communicants. Ses souvenirs d'une terre natale violente furent la source, à l'âge adulte, d'histoires fantastiques quand elle ressentait la nostalgie de fêtes « comme je n'en aurai jamais de ma vie, sauf peut-être lors des tremblements de terre, dans mon enfance. Les volcans dansent, les cloches sonnent, tout se casse ».

Quand elle s'installa à Paris, au milieu des années vingt, elle répéta souvent à ses amis le stupéfiant récit de sa naissance. Elle en transcrivit l'une des nombreuses versions dans son livre *Oppède* qui raconte son séjour dans un village du Vaucluse, pendant la guerre de 1939-1945, au sein d'une petite communauté d'artistes, avant de partir rejoindre Antoine aux États-Unis et partager avec lui la création du *Petit Prince*.

« Les tremblements de terre dans mon pays faisaient sortir des squelettes des tombes et nous devions ensuite recoller les ossements pour nous refaire des ancêtres complets en attendant le jugement dernier », écrit-elle avant de se lancer sur plusieurs pages dans une surprenante narration de sa naissance pendant un tremblement de terre.

Il est difficile de deviner quand la réalité laisse place à la fiction. Son histoire raconte qu'elle naquit à sept mois pendant un séisme et fut recueillie par un « paysan sorcier » qui la nourrit au lait de chèvre et lui enseigna plus tard à charmer les nuages au fond d'un puits.

Selon la famille, aucune catastrophe ne fut enregistrée au début du siècle. Le sorcier aux dons de magicien était en définitive le père de Consuelo. Supposé ne pas avoir manifesté beaucoup d'affection pour ses trois filles, il consacra probablement beaucoup de temps à l'enfant qui vint au monde après le décès de ses quatre garçons et qu'il prénomma Consuelo, « Consolation ».

Soixante ans après sa mort, il a laissé de sa forte personnalité un souvenir presque légendaire. Détenteur des secrets des plantes, il préparait des potions auxquelles les paysans faisaient appel avec crainte et respect, redoutant ses méthodes expéditives, mais efficaces, pour traiter certains maux. Une fois, l'un des journaliers de la ferme lui demanda de le guérir d'une rage de dents. Felix Suncin fit rougir un long clou dans des braises puis le plongea brusquement dans la dent cariée. Le patient hurla comme un dément, mais son guérisseur lui annonça qu'il venait de détruire le nerf et qu'il ne souffrirait plus.

Mireille Dimas, la nièce de Consuelo, occupe toujours la maison d'Armenia. Elle raconte l'anedocte transmise par sa mère, Dolores, selon laquelle le grand-père soigna une dépigmentation de la peau sur le front de sa fille cadette, Amanda, en éteignant son cigare sur la plaque blanche. Le traitement, certes brutal, arrêta net la propagation de l'affection.

Malgré l'altruisme de Felix Suncin envers la communauté villageoise, celle-ci ressentit toujours une peur superstitieuse envers cet homme autoritaire, et les rumeurs insinuèrent qu'il paya de la vie de ses fils une malédiction causée par sa cruauté.

Dans le récit relativement sobre de sa naissance, relaté dans *Oppède*, Consuelo ne mentionne pas une extraordinaire manifestation de magie contenue dans une autre version où elle arrive au monde mort-née. Et c'est alors qu'intervient le sorcier qui enduit son petit corps d'une couche de miel, attirant un essaim d'abeilles dont les piqûres la ramènent à la vie. Dans son livre, elle grandit parmi les ruines et découvre un monde nouveau en revenant dans sa famille.

La maison est vaste. Elle commence à explorer les chambres, puis toutes les pièces. En visitant le jardin, elle s'aperçoit qu'il existe d'autres jardins avec d'autres maisons et des rues interminables qui conduisent quelque part. Elle décide de tout voir, mais les mendiants, le facteur, les colporteurs, « tous ceux qui avaient dans les yeux de cet au-delà », lui disent que les limites du monde ont d'autres espaces.

« J'aurais voulu grandir plus vite que les bambous pour aller découvrir le secret », ajoute-t-elle avant de séduire le jeune facteur avec la montre en or de son grand-père pour qu'il l'emmène une journée entière distribuer le courrier avec lui. Les lignes qui suivent attestent d'une immense curiosité et d'une imagination féconde qui lui valait déjà l'admiration de ses camarades de classe.

Claudia Lars, la plus grande poétesse salvadorienne, vécut dans le même village d'Armenia, mais, à cause d'une rivalité entre leurs pères, les deux fillettes ne purent se fréquenter et profitèrent de rares rencontres pour mieux se connaître. De deux ans l'aînée de Consuelo, Claudia évoque sa camarade dans son autobiographie *Terre d'enfance* et parle de sa faculté précoce à captiver un auditoire.

« Consuelo savait converser comme une personne adulte avec une grâce qui lui était propre et des mots qui n'étaient pas habituels dans le langage des paysans, se souvient-elle. De plus, elle faisait passer dans sa voix vibrante de trémolos une émotion profonde tellement chargée de féerie qu'elle me passionnait totalement dès qu'elle racontait des histoires qui me rappellent encore notre enfance.

« Je dois reconnaître qu'elle était extraordinaire. Il semblerait que ce don très rare du langage, comme la chaleur du feu, se soit perfectionné au fil des années pour devenir un vrai magnétisme. »

À l'occasion d'une discussion sur leur avenir et leur future carrière, Claudia annonça qu'elle souhaitait devenir une poétesse célèbre. Pour Consuelo, cela équivalait à rivaliser dans un milieu masculin alors qu'elle se refusait à égaler les hommes, « parce qu'ils travaillent trop et deviennent laids ».

« Je ne veux pas étudier au point de devenir aveugle, ajouta-t-elle. Si tu peux garder un secret, je vais te dire qu'un jour je serai reine dans un pays lointain où j'aurai des robes couvertes d'or et d'argent, des bagues et des colliers avec des pierres merveilleuses. Voilà ce que je serai. Quand je serai grande je serai une reine. »

Elle dut plus tard se contenter du titre de comtesse et de l'honneur littéraire de devenir la Rose du *Petit Prince*. Elle réalisa ses rêves de parures élégantes et de beaux bijoux, certains offerts par des admirateurs ou par ses maris et d'autres achetés avec les gains de son travail quand, après la mort de Saint-Exupéry, elle passa beaucoup de temps à peindre et à sculpter les figures de l'écrivain et de sa création, le petit prince.

Un pays de révolutions

Consuelo ne venait pas seulement d'un pays de tremblements de terre, elle aimait ajouter « mais également de révolutions » ; une affirmation en deçà de la vérité.

L'histoire récente d'El Salvador, le plus petit des États de l'Amérique centrale, ressemble à un vaste opéra-comique fait de coups d'État et de rébellions dont les conséquences ne furent pas seulement la confusion, la désorganisation et le remplacement d'un leader peu démocratique par un autre, mais également le massacre de la population paysanne. La répression à une grande échelle s'était perpétuée depuis la destruction par les Espagnols de l'ancienne capitale indienne de Cuscatlán et la mainmise sur toutes les terres, dans une région administrée de façon autocratique par des colons, et connue sous le nom de capitainerie générale guatémaltèque couvrant la majorité de l'isthme. Après s'être libérés de la domination espagnole en 1821, les États du Guatemala, Honduras, El Salvador, Nicaragua et Costa Rica entreprirent sans succès de s'unifier soit par la force soit par la persuasion. El Salvador devint une république indépendante après avoir résisté pendant vingt ans à une tentative d'annexion par le Mexique.

Entre 1870 – quand la famille Suncin commença à prospérer avec la culture du café – et la naissance de Consuelo en 1901, le pays eut sept chefs d'État, dont certains furent déboulonnés sans ménagement. Une ère plus libérale vit l'émergence d'un conservatisme reposant sur le pouvoir croissant des planteurs de café dont les ressources représentaient 60 % du produit national. Consuelo grandit dans un environnement relativement privilégié où son père joua un rôle remarqué lors de la répression des journaliers agricoles révoltés. Son statut de colonel de réserve de la garde présidentielle lui valait des relations privilégiées avec la Guardia Nacional, un corps militaire chargé de fournir une protection aux propriétaires qui payaient des salaires de misère à leurs *campesinos*.

Mis à part l'assassinat du président Manuel Araujo en 1913, la période entre la venue au monde de Consuelo et son départ pour Paris en 1925 peut être considérée comme plutôt stable avec une succession de leaders qui arrivèrent à contenir la colère du peuple jusqu'en 1931, quand elle explosa dans l'Ouest du pays en un grand soulèvement, l'année du mariage de Consuelo avec Antoine. L'adhésion de son père à l'Asociacion Cafetalaria – le lobby des producteurs de café comparable à un gouvernement invisible – fut essentielle pour son éducation et ses possibilités d'études à l'étranger. Quand elle obtint son diplôme d'enseignante à dix-huit ans, dans un collège de San Salvador dirigé par une Française, Cécilia Cherry, El Salvador vivait sous une forme d'oligarchie où deux puissantes familles, les Melendez et les Molina, se partageaient le gouvernement avec courtoisie et efficacité. Grâce à l'influence de son père, Consuelo obtint une audience avec le président Alfonso Quinonez Molina à qui elle présenta une demande de bourse d'études, apparemment en vue de parfaire sa formation d'enseignante aux États-Unis.

Pour une jeune fille aux ambitions démesurées, El Salvador offrait des perspectives limitées. L'évolution politique et culturelle du pays se jouait dans une monotonie stérile pour l'intelligentsia, alors que le reste du monde bouillonnait de créativité. Une situation qui accéléra une émigration intellectuelle d'ailleurs soutenue par le ministère de l'Éducation. Au début du siècle, l'Europe et notamment Paris exerçaient une attraction particulière sur une élite cultivée et ambitieuse. Mais à la fin de la Première Guerre mondiale, observée d'un regard neutre par l'Amérique centrale, les réformes sociales, politiques et culturelles du Mexique révolutionnaire auréolaient ce pays de tous les mérites d'une nation en pleine mutation.

Déjà bien avant la fin du siècle précédent, après la rupture de ses liens avec l'Espagne, l'Amérique centrale avait tenté, sans succès, de se forger une identité originale en créant une fédération sur le modèle des États-Unis. Par la suite, les dirigeants de chaque pays virent dans la littérature un élément catalyseur pour accélérer l'émergence d'une identité nationale. Les dictateurs eux-mêmes encouragèrent les étudiants à enrichir leur savoir à l'étranger en finançant des séjours au Mexique et en Europe. Cette sensibilisation à une culture nationale, avec ses traditions et son folklore, avait comme second objectif de voir diminuer la domination des États-Unis sur leurs voisins latins qu'ils traitaient comme des colonies.

L'Amérique centrale manquait d'enseignants, de romanciers, de journalistes et de poètes pour mener à bien une entreprise éducative de grande envergure. Parmi les intellectuels qui obtinrent des subsides pour étudier en Europe, beaucoup devinrent des célébrités internationales, tel le Nicaraguayen Ruben Dario, auteur de *Chants de vie et d'espérance*, ou le second mari de Consuelo, Enrique Gómez Carrillo, guatémaltèque de naissance, journaliste et chroniqueur renommé et ami de Dario.

Consuelo appartenait à une nouvelle génération estudiantine rêvant de marcher sur les traces de ses maîtres et d'assurer la relève. Elle se distingua comme l'une des étudiantes les plus douées et fut désignée parmi trois cents jeunes filles de son lycée pour représenter la jeunesse de sa région à l'occasion de cérémonies officielles. Les sensations procurées par ces brefs instants de gloire firent apparaître la vie à Armenia, où les seuls divertissements consistaient en concerts dominicaux dans le kiosque à musique, comme terriblement terne. Sans doute consciente de la fragilité de sa beauté, elle pressentit la fatalité d'un avenir morne sur son sol natal où les femmes devenaient vieilles et grosses avant trente ans à cause des nombreuses maternités, des longues siestes et d'une nourriture excessive, avec pour seule consolation la grand-messe du dimanche.

Avec un héritage mixte de traditions espagnoles et indiennes, El Salvador faisait preuve de plus de compréhension que l'Europe en matière de liberté sexuelle ; la nouvelle classe moyenne acceptait sans critique le comportement d'hommes mariés en quête d'aventures galantes. Les femmes à la beauté flétrie accordaient à leurs époux « des vacances de maris », selon la phrase qu'utilisa Saint-Exupéry des années plus tard lorsqu'il décida de prendre congé de Consuelo et d'occuper un logement séparé qui lui permettrait de recevoir sa « mignonne ».

Sombrer dans cette torpeur féminine est une perspective qui effraya probablement l'adolescente nourrie de littérature et de poésie, et qui voyait dans les écrivains tels que Dario et la Chilienne Gabriela Mistral, futur prix Nobel, des messagers des dieux. Dans les années vingt, le haut lieu de la littérature hispanique était Mexico, où une jeunesse impétueuse entretenait un climat de rébellion comparable à celui de Saint-Germain-des-Prés après la Seconde Guerre mondiale. Dans un domaine, au moins, le Mexique précédait de loin la plupart des pays européens, puisque les femmes étaient admises à l'université avec accès à toutes les disciplines.

Dédaignant les affrontements civils qui déchiraient le pays, l'élite de toute l'Amérique latine convergeait vers la

31

capitale. Au centre de ce creuset hispanique régnait un personnage sartrien, José Vasconcelos, qui moissonnait gloire politique et succès amoureux en faisant honneur à son surnom : « Le maître des jeunesses américaines. » Ses activités révolutionnaires, ses réformes de l'éducation et son énorme production d'essais philosophiques et péda-gogiques l'amenèrent à deux doigts de la présidence du pays, ce qui lui valut des périodes d'emprisonnement et d'exil. Par la suite, Consuelo entretint une liaison passion-nelle avec Vasconcelos – « Mon Maître » comme elle aimait l'appeler – et resta en relation avec lui pratiquement jusqu'à son mariage avec Antoine de Saint-Exupéry.

Alors que la célébrité d'Enrique Gómez Carrillo, le deuxième mari de Consuelo, s'est estompée avec le temps, l'envergure de Vasconcelos reste intacte et conti-nue de justifier l'assertion de Consuelo qu'« il vaut mieux avoir le cinquième d'un grand homme que la totalité d'un homme médiocre ». Elle arriva à cette conclusion après un premier mariage désastreux à l'âge de vingt et un ans.

CHAPITRE II

Le capitaine mexicain

S'il exista une volonté commune à Antoine de Saint-Exupéry et à sa femme, Consuelo Suncin, ce fut bien la détermination à échapper aux limitations de leur milieu. Antoine, tiraillé par ses devoirs envers sa mère, sa religion et sa caste aristocratique, s'affranchit de ses obligations par étapes et avec l'aide du destin. Le fait qu'il ne participa pas à la Première Guerre mondiale, quand son âge lui aurait permis de s'engager avant la fin du conflit, fut probablement un facteur culpabilisant qui l'éloigna d'une carrière militaire. Son retard à s'enrôler s'explique en partie par les plans qu'élaborait sa famille pour le voir embrasser une carrière dans la marine, connue sous le nom de la Royale en vertu de sa tradition monarchique et de son antagonisme séculaire envers les Anglais.

Il échoua au concours d'admission et évita ainsi l'humiliation que connurent plus tard plusieurs de ses amis officiers avec qui il prépara l'examen d'entrée, quand, en 1942, l'amirauté vichyste décida de saborder la flotte à Toulon plutôt que de s'unir aux Alliés. De sa propre initiative, en 1920, il demanda à effectuer son service militaire dans l'armée de l'air où il fut incorporé chez les rampants, profitant de son temps libre pour prendre des cours de pilotage financés par sa mère.

Jusqu'à sa résolution de devenir aviateur, Saint-Exupéry hésita entre de nombreuses carrières, mais la seule occupation qu'il n'envisagea pas fut la direction des affaires du château de Saint-Maurice-de-Rémens, une décision qui contribua à la faillite du domaine et à sa vente en 1932, obligeant Marie de Saint-Exupéry à vivre dans une petite maison à Cabris, près de Grasse. Son talent pour l'écriture, hérité de sa mère, se développa progressivement, en particulier par le biais d'un courrier abondant et de nouvelles. Mais son manque de confiance aurait pu étouffer ses ambitions littéraires sans les encouragements d'André Gide, un ami de la famille, découvreur de talents pour les Éditions Gallimard.

Quelques années auparavant, alors qu'il se cherchait un métier, sinon une vocation, Antoine avait fréquenté l'École des beaux-arts pour marquer sa volonté de décider lui-même de son avenir. Les bases élémentaires du dessin qu'il assimila pendant cette période transitoire allaient lui être utiles et réapparaître par la suite dans ses esquisses du *Petit Prince*.

Le défi de Consuelo à sa famille et à ses coutumes, en manipulant avec diplomatie un père autoritaire, fut un acte plus délibéré que de circonstance qui mit en évidence son remarquable esprit d'indépendance. Encore plus que Saint-Exupéry, elle était confrontée à des traditions fortement ancrées qui la destinaient à se marier jeune et à assurer une descendance Suncin, compromise par la mort en bas âge de ses quatre frères.

Ses premiers pas sur le chemin de la liberté la menèrent à San Francisco en 1920, à l'âge de dix-neuf ans, pour étudier l'anglais dans une école de sœurs ursulines, nantie d'une bourse du gouvernement salvadorien. D'une façon surprenante, le père ne s'opposa pas à ce départ dans l'espoir qu'un changement de climat serait bénéfique contre l'asthme dont elle souffrait depuis son enfance. Avec sa connaissance des plantes, il avait souvent concocté des potions pour soulager ses crises respiratoires, mais sans trop de succès ; il voyait dans l'humidité du climat et les longues périodes de pluies les responsables de cette affection. Malheureusement, Consuelo ne guérit jamais de ce mal qui l'a handicapée toute sa vie avec l'anxiété toujours présente d'accès de suffocations – des symptômes que l'on retrouve dans *Le Petit Prince* quand la rose tousse et que son compagnon la réconforte car, sinon, pour l'humilier, « elle se laisserait vraiment mourir ».

La perspective de se retrouver derrière les murs d'un couvent dès son arrivée en Californie ne sembla pas très exaltante à Consuelo qui décida de faire une première escale à Los Angeles, un interlude auquel elle avait souvent rêvé pour rencontrer son idole, l'acteur Rudolf Valentino. Elle se fit conduire au cabaret où il se produisait et réussit à lui faire parvenir un billet, de la part « d'une admiratrice des tropiques » comme elle se présenta. Cette rencontre se limita à un tango sur la piste de danse, mais illustre la fascination qui la poussa plus tard vers des hommes célèbres.

Pendant ses deux années à San Francisco, une ville de lumières et d'activité culturelle intense, elle fréquenta beaucoup la communauté latino-américaine et fit ainsi la connaissance de Ricardo Cardenas, un officier de l'armée mexicaine de deux ans son aîné. Celui-ci suivait un stage d'entraînement aux méthodes de combat antiguérilla dispensé par l'armée américaine, un soutien au gouvernement mexicain dans sa lutte contre la rébellion de Pancho Villa.

Le 15 mai 1922, un mois après sa majorité, elle épousait civilement le jeune militaire devant les autorités de la cité californienne, un événement sur lequel elle resta très discrète toute sa vie, même si elle ne détruisit jamais l'imposant certificat de mariage orné d'une frise dorée qu'elle confia à sa famille. Seule la poignée de proches au courant de cette union fut ensuite informée de la mort violente de son mari à la suite d'un accident de chemin de fer – ou d'une escarmouche avec les rebelles juste après son retour au pays. Un épilogue dramatique pour un intermède entouré de mystère.

On sait peu de chose de Ricardo Cardenas, dont la famille Suncin ne possède aucune photographie, sauf que sa jeune épouse le décrivit charmeur et séduisant, mais porté à de violentes crises de jalousie. Avec la nature curieuse et avide de culture de Consuelo, on peut se demander si le mariage aurait résisté longtemps à la monotonie et à l'isolement d'un poste frontière mexicain où son époux venait d'être affecté à la surveillance des chemins de fer.

Au moment de son mariage, elle n'ignorait pas qu'un fiancé officieux, Lisandrio Villalobos, l'attendait à Armenia, et son attitude fut sans aucun doute interprétée comme un acte de défiance envers l'autorité paternelle et envers la respectabilité de la famille. Elle n'eut pas l'occasion d'expliquer de vive voix à son père les raisons de sa conduite, car il décéda subitement d'une crise cardiaque dans l'année qui suivit, à l'âge de soixante-quatre ans.

Juriste, propriétaire du plus grand magasin du bourg et considéré comme un bon parti, Villalobos courtisait Consuelo depuis qu'elle fréquentait l'école normale. Plus tard, dans ses écrits, elle fit de son amoureux une description caustique en le désignant sous le nom de Don Pantaleon et se moquant de sa chaîne en or portée sur le ventre et de sa grosse moustache de provincial. En fait, Villalobos n'était pas le fruste qu'elle laissa imaginer. Il exerçait la profession d'avocat dans son étude de San Salvador et, amateur de poésie, avait constitué à Armenia un groupe d'animation dans le but de faire apprécier la littérature latino-américaine à une population villageoise privée d'animations culturelles.

Après la perte de son époux, Consuelo se réfugia de nouveau près de sa famille. Sous le regard vigilant de sa mère, elle se promena suffisamment au bras de Lisandrio pour être de nouveau considérée comme sa fiancée. Mais, comme elle le démontra souvent dans sa vie, en dépit de son apparence fragile, Consuelo, veuve à vingt-deux ans, excellait dans l'art de tirer un avantage de son malheur. Ses nouveaux liens avec le Mexique et la promesse d'une pension militaire lui ouvraient les portes de l'université de Mexico où elle s'inscrivit aux cours de droit qu'elle abandonna rapidement pour le journalisme.

Dans l'atmosphère enivrante de la Mecque culturelle de l'Amérique centrale, comparable à celle, parisienne, de la rive gauche, ses aspirations professionnelles se volatilisèrent dans un environnement bohème dominé par des artistes et des poètes. Une tendre amitié se noua entre l'écrivain Salomon de Selva et Consuelo qui le conduisit presque à un duel quand elle passa de ses bras à ceux de José Vasconcelos qu'elle savait devoir partager avec sa femme et d'autres maîtresses.

Les détails les plus intimes de cette liaison passionnée ont été relatés par Vasconcelos lui-même dans une autobiographie en trois tomes, toujours très lue en Amérique latine où il bénéficie d'une réputation semblable à celle d'un Jules Ferry, grâce à ses réformes de l'enseignement. Le récit sincère et sans détour de leur aventure compliquée et burlesque sur deux continents se termine sur une note de rancœur dans la narration de la rupture finale. Une épreuve vexante pour un personnage jouissant d'une réputation internationale d'homme politique, d'écrivain et de séducteur.

L'utilisation par Vasconcelos d'un diminutif, Charito, pour désigner sa maîtresse, n'empêcha pas des rumeurs malveillantes de circuler sur la moralité de Consuelo quand l'entourage de Saint-Exupéry commençait à le harceler pour qu'il se sépare de sa femme. Au début du siècle, Charito était le nom de scène d'une célèbre stripteaseuse espagnole, et au cas où le lecteur n'aurait pas deviné l'identité de son amante, Vasconcelos, par inadvertance ou intentionnellement, glissa le prénom Consuelo dans un passage du deuxième volume de ses mémoires intitulé *La Tourmente*.

Les descriptions qu'il fit de Consuelo montrent un aspect particulièrement revanchard du caractère de cet intellectuel égocentrique aux ambitions politiques affûtées, qui le menèrent jusqu'à la candidature à la présidence de la République du Mexique, et qui n'hésita pas pour atteindre ses objectifs à devenir un disciple d'Adolf Hitler et à accepter des fonds offerts par le parti nazi. L'humiliation qu'il ressentit à l'annonce par Consuelo de mettre un terme à leur liaison est exprimée dans un livre en termes venimeux où il compare la jeune femme à un crotale, tout en reconnaissant son immense pouvoir de séduction que Saint-Exupéry associa, lui aussi, à une forme de sorcellerie. Les proches d'Antoine, hostiles à « la graine venue d'on ne sait où » furent encore plus méprisants dans leurs attaques, comme sa sœur Simone, une célibataire aigrie, pour qui les talents de Consuelo se limitaient à son inventivité sexuelle avec laquelle elle avait « piégé » son frère.

Placées dans le contexte des années vingt, les aventures sentimentales de Consuelo ne surprennent pas. Elles s'insèrent naturellement entre le romantisme de *La Dame aux camélias* du XIXe siècle et l'extravagance des existentialistes de la rive gauche après la Seconde Guerre mondiale. S'éprendre d'un homme tel que Vasconcelos, un pratiquant invétéré de l'adultère, relevait de la banalité, de même que son parti d'opter finalement pour le non moins inconstant Enrique Gómez Carrillo qui lui promettait le mariage, la sécurité et l'introduction dans les cercles littéraires et artistiques les plus influents d'Europe.

Quand Vasconcelos et Consuelo se rencontrèrent, il avait la quarantaine, elle vingt-trois ans et le statut de veuve. Le « génie latino-américain » auteur de « l'œuvre la plus noble dont le Mexique peut être fier », selon les termes de son biographe, était représentatif d'une génération qui profita, au début du siècle des conséquences libératrices de la révolution sur la jeunesse de l'Amérique du Sud et de l'Amérique centrale, après l'effondrement de l'autorité de l'Église. D'origines modestes, il avait su exploiter les vagues successives de dictature et de démocratie mal administrée pour obtenir son titre d'avocat à vingt-sept ans et fonder l'Athénée de la jeunesse mexicaine où, avec ses amis Pancho Villa et Francisco Madero, il mêlait ses activités politiques aux programmes scientifiques et littéraires. Entre ses responsabilités à la tête d'un département de l'instruction publique, son temps consacré à espionner en France et en Angleterre des ennemis ultra-conservateurs, il avait, à l'âge de quarante ans, réussi a publier nombre d'ouvrages érudits. Après l'aboutissement de la rébellion d'Aguapietrista, il fut nommé recteur de l'Université en juin 1920 et chargé de la création du ministère de l'Éducation populaire, qui marquait le rôle phare du Mexique dans le développement de la culture de l'Amérique latine.

Comme en Europe pendant la seconde moitié du xixe siècle, l'alphabétisation s'inscrivit dans les objectifs d'un mouvement intellectuel dynamique qui attira les écrivains hispanophones les plus connus, à l'exemple de Gabriela Mistral qui se précipita à Mexico pour travailler avec Vasconcelos. Aux yeux de la jeunesse progressiste mexicaine, il était un héros sans égal et, quotidiennement, des files d'admirateurs et surtout d'admiratrices se formaient devant ses bureaux pour lui demander conseil ou du travail. Un jour de l'année 1923, une jeune veuve, Consuelo Cardenas, se trouvait parmi les solliciteurs d'audience.

Selon les dires du secrétaire particulier de Vasconcelos, elle fut admise dans l'antichambre du bureau où elle attendit pendant quatre heures qu'il termine ses entretiens de la matinée, menés debout mais avec beaucoup d'attention. Quand enfin il s'intéressa à elle, elle prit congé en prétextant qu'en sa qualité de journaliste elle se félicitait de ses méthodes d'audiences publiques, ce qui éveilla en lui une grande curiosité envers une femme affichant une telle assurance. Dans sa version – qui diffère de celle donnée par le secrétaire – Consuelo raconte qu'étant à la recherche d'un emploi elle se présenta devant Vasconcelos avec une lettre de motivation. Celui-ci regarda la jeune femme, puis parcourut rapidement la note qu'il posa sur la liste des

refus en déclarant : « Vous êtes belle, ici nous n'embau-
chons pas de belles femmes », laissant entendre qu'elle
pouvait trouver une autre occupation. Furieuse de ce
qu'elle prit pour une invitation à la prostitution, Consuelo
devint farouchement anti-Vasconcelos jusqu'à ce qu'une
amie salvadorienne, étudiante en médecine, la persuade
d'assister à des débats présidés par « le maître ». Au cours
de ces séances animées, l'honorable quadragénaire, que
les étudiants nommaient Pythagore, tomba éperdument
amoureux de Consuelo.

L'une des grandes injustices faites à Consuelo par ses
détracteurs a été de suggérer qu'elle ne fut qu'une liber-
tine ayant peu à offrir à ses amants à l'exception de son
corps. Malgré la mortification causée par le mélodrame de
leur séparation et son ressentiment envers sa maîtresse,
Vasconcelos, dans son récit autobiographique, ne renie
pas la personnalité envoûtante de Consuelo et son exceptionnel talent de conteuse, un art qu'elle maîtrisait
probablement mieux dans sa langue qu'en français.

« Chez cette femme, le danger ne réside pas dans sa
beauté, mais dans sa capacité à retenir l'homme avec des
mots », écrit le « maître » mexicain en paraphrasant
Shakespeare, un compliment extraordinaire venant d'un
homme fasciné par les poèmes de Gabriela Mistral et
auteur d'une cinquantaine d'ouvrages, philosophiques,
biographiques, de pièces de théâtre, de thèses politiques
et d'une histoire du Mexique.

L'élégant ministre de l'Éducation écrivit en 1933 une
série de nouvelles, *La Sonata Magica*, directement inspirée
par l'évocation de Consuelo. On devine au fil des pages
comment il se laissa enchanter par sa présence à partir du
moment où il l'invita à assister à des discussions éditoriales

au bureau de son quotidien *L'Antorcha* (La Torche), un journal qu'il ressuscita à Paris en 1925 après son échec à l'élection de gouverneur de province. Il n'existe aucune trace d'articles de presse écrits par Consuelo ; sa contribution au journal se borna au bien-être de son rédacteur en chef dont les souvenirs rédigés en 1936 sont évocateurs.

Un corps mélodieux

« Charito n'est pas une danseuse mais elle possède la musique en elle », écrit Vasconcelos. Mais il est séduit par la grâce de ses mouvements, le rythme de son corps et sa musique très particulière, et d'ajouter : « Charito possédait cette musique dans la voix, et la clé de cette mélodie était sa façon de parler. Elle ensorcelait avec sa voix. Entre ses lèvres, les mots se chargeaient de sensualité et d'harmonie. »

La plupart des photographies de Consuelo, même adolescente, montrent un visage peu souriant, presque boudeur, qui se prête mal à l'image de la femme qui, toujours d'après Vasconcelos, transformait « les vers les plus ordinaires en un chant aux sons cristallins ». Le ministre mexicain réserve le meilleur de sa prose pour traduire la musique de la voix et la mélodie du corps de Charito, et passe rapidement sur la flamme de ses yeux noirs, ses joues pâles, ses lèvres minces et son cou délicat.

À Mexico comme à Paris, Vasconcelos était l'objet d'une horde d'admiratrices prêtes à travailler en étroite collaboration avec lui. La fascination qui attira un être aussi blasé vers Consuelo ne peut s'expliquer que par un pouvoir de séduction singulier, presque magique, associé à une grande perspicacité. Très rapidement il ressentit la nécessité d'entamer sa journée de travail en rencontrant la jeune femme qu'il peignait comme une «travailleuse, bruyante, expansive et pleine de vitalité».

Ils passaient des heures ensemble au journal, et Consuelo parlait, racontait sa vie à sa manière, fabriquait des histoires qui stimulèrent Vasconcelos dans l'écriture de ses romans. Une nouvelle de trois pages, *La Maison enchantée*, écrite sous l'emprise de sa passion pour Consuelo, montre deux amants séparés par la foule. L'homme se sent irrésistiblement attiré vers la porte d'une maison qu'il franchit. Il traverse des pièces vides et se retrouve dans un jardin éclairé par la lumière aveuglante des étoiles. Il devine la proximité de son amante et cherche à l'étreindre, mais tout ce qu'il touche est sans substance et ses mains traversent la matière, une sensation que l'auteur compare à la pénétration d'une forme idéale de beauté.

«Dans ces lieux pleins de volupté, il pensait à elle et combien il voudrait pénétrer en elle, pas à la façon d'autres amants, mais en s'immergeant complètement en elle sans se détruire lui-même», sont les derniers mots de l'histoire.

Vasconcelos connaissait la facette insaisissable de sa maîtresse et savait qu'elle ne lui livrerait jamais la clé de sa mystérieuse personnalité. Elle confirma cette impression en quittant soudainement Mexico pour rentrer à Armenia en le menaçant de ne jamais le revoir. Son ancien fiancé, Villalobos, devenu le planteur le plus prospère de la région, n'avait pas douté qu'elle lui reviendrait et redemanda sa main, au grand espoir de la famille intéressée à réunir les deux plus importantes plantations de café de la région. Après quelques semaines passées dans la monotonie d'Armenia, Consuelo se rendit compte que son avenir était ailleurs et n'hésita pas à relancer Vasconcelos avec

43

des lettres passionnées. À plusieurs reprises, elle lui assura connaître son destin qui devait la conduire à suivre un grand homme « vers la gloire ou la ruine ».

Après les résultats fâcheux de sa candidature à l'élection de gouverneur de province, qui devait représenter la première étape vers la présidence, Vasconcelos jugea prudent de s'éloigner du Mexique et choisit Paris pour son exil, la cité la plus romantique au monde. Le 2 novembre 1925, accompagné de sa femme et de ses enfants, il arrivait dans la capitale française. Peu de temps après, il recevait une lettre de Consuelo lui demandant de lui faire parvenir la moitié du prix d'un passage pour la France.

« Je ne lui envoyai pas la moitié mais la totalité du billet, sans réfléchir aux conséquences quand il s'agissait de sentiments et de tendresse », écrit-il sans son autobiographie.

Le 26 janvier 1926, Consuelo débarquait en France et louait une chambre dans un petit hôtel près des Halles. Quelques heures plus tard, pelotonnée dans les bras de son amant, elle lui témoignait son ardente passion, intensifiée par les splendeurs d'une ville au summum de son renouveau culturel.

Une remarquable évocation de Consuelo, récemment arrivée à Paris, est donnée par Alfonso Reyes, un autre poète, représentant de la légation mexicaine à Paris, invité par Vasconcelos à se joindre à eux pour un dîner au *Grand Véfour*, près du Palais-Royal. Reyes ne put quitter du regard les yeux brillants frangés de cils soyeux de Consuelo. Lentement elle regarda la salle, son attention se fixa sur les dîneurs élégamment vêtus, puis elle demanda à Vasconcelos : « Cet endroit est-il le plus chic de Paris ? Ces femmes sont-elles les plus élégantes de Paris ? Bien, je peux me mesurer à elles. »

Les rêves de belles robes et de bijoux de la petite fille de neuf ans, révélés à Claudia Lars dans la moiteur d'Armenia, semblaient en bonne voie de réalisation.

Le navire d'argent

Si 1926 fut pour Consuelo – étudiante désargentée mais belle de l'Alliance française – l'année de son immersion euphorique dans un milieu parisien artistique insouciant, elle fut la plus exécrable dans la vie d'Antoine de Saint-Exupéry. Même s'ils fréquentaient tous les deux *La Coupole* et d'autres bars de Montparnasse, il est peu probable qu'elle aurait jeté un second coup d'œil sur ce voyageur de commerce à la mine mélancolique, aristocrate ou pas, qui rejoignait Paris les week-ends après une détestable semaine passée à courir les départements de l'Allier, du Cher et du Cantal, en tentant de vendre des camions Saurer à des fermiers peu coopératifs.

Il n'était ni suffisamment beau, ni suffisamment riche pour se faire pardonner un handicap important : il menait une vie fastidieuse qu'il relatait avec ironie à sa mère et à ses amis, dont Renée de Saussine, sa correspondante préférée depuis son enfance, qu'il appela son éditrice littéraire avant même d'avoir publié une seule ligne. Ses retours à Paris dans un hôtel vétuste, boulevard Ornano, dans un quartier populaire de la capitale, ne furent sans doute pas propices à lui remonter le moral. Les conditions de logement de Consuelo n'étaient probablement pas meilleures, mais pendant un certain temps elle vécut dans l'un des quartiers les plus vivants de la cité, un lieu de rendez-vous mouvementé avec la proximité des Halles, à un saut de puce des lieux à la mode.

Antoine trouvait une compensation à son ennui dans la conduite de son véhicule de service, une Zedal-Sygma rapide et manœuvrable aux lignes de bolide. Mais cette piètre consolation, malgré sa passion pour les voitures, ne pouvait le tirer d'une déprime qui devenait chronique. Pendant que sa future femme prenait goût aux « danses et réceptions », un appétit qu'il jugea excessif après leur mariage, il résumait ainsi sa vie : « faite de tournants que je prends aussi vite que possible et d'hôtels qui se ressemblent tous. Je suis démoralisé. »

Dans une lettre à sa famille, il confie sa solitude en ces termes : « Je mène une vie terriblement solitaire, toujours sur les grandes routes. Je suis un peu comme le Juif errant. Je ne dors jamais deux nuits dans la même ville. Rien ne se passe dans ma vie. Je me lève, je conduis, je mange. Je ne pense à rien. C'est triste. »

En définitive, cette sombre année ne fut pas entièrement du temps perdu et se termina sur une note optimiste. Les mornes soirées dans des hôtels de province lui avaient laissé le loisir de développer un style d'écriture qu'il perfectionna dans une volumineuse correspondance qui, peu à peu, grignota une partie de ses nuits. Pendant ses week-ends dans la capitale, il aimait retrouver ses amis dans des cafés et participer aux longues discussions sur les courants littéraires à la mode, ou rester seul en prenant des notes dans un carnet, illustré, comme ses lettres, d'esquisses où se dessinait déjà l'embryon du Petit Prince. La première percée infime dans le monde de l'édition se présenta sous la forme d'une recommandation d'André Gide destinée à Jean Prévost, l'éditeur d'une nouvelle revue, *Le Navire d'argent*, lui-même auteur déjà publié malgré son jeune âge.

C'est ce magazine littéraire, dont l'existence fut de courte durée, qui publia la première nouvelle d'Antoine, *L'Évasion de Jacques Bernis*, l'histoire d'un aviateur malchanceux inspirée de ses expériences de pilote d'avion-taxi à Orly pendant la période de vol imposée aux officiers de réserve de l'armée de l'air.

Avec cet ouvrage, ses deux vocations, l'écriture et l'aviation, se rencontraient enfin, réveillant chez lui la détermination de faire une carrière de pilote. Le 12 octobre 1926, après une intervention de Mme de Saint-Exupéry, Beppo de Massimi, président-directeur de Latécoère, le recevait pour un entretien et, quelques jours plus tard, il rejoignait Toulouse afin d'intégrer une équipe de pionniers aviateurs qui comptait Henri Guillaumet et Jean Mermoz.

Avec son départ de Paris, s'envolait la possibilité d'une rencontre fortuite avec Consuelo. Se seraient-ils entendus s'il avait pu se présenter comme un auteur reconnu? Probablement pas, compte tenu de sa tendance à adopter un style au ton moralisateur, particulièrement dans le contexte d'amours illégitimes. Dans *Courrier Sud* il fustige, sans le savoir, le milieu insouciant et libertin de Consuelo, assimilable à celui de *La Coupole*, qu'il jugeait comme un temple sans joie de rencontres amoureuses de hasard. Ses critiques semblaient viser les exubérantes midinettes au bras de leurs amants grisonnants auxquelles Consuelo était tout à fait intégrée.

Plus qu'elle ne pouvait donner

Quelques semaines après son installation dans le quartier des Halles, Consuelo déménagea dans un foyer d'étudiants du Quartier latin en espérant suivre les cours de littérature française à la Sorbonne après son passage à l'Alliance française. Beaucoup plus tard, des journalistes salvadoriens mentionnèrent son diplôme de la faculté des lettres, probablement à la suite de la correspondance de Consuelo avec sa mère où elle l'assurait d'une vie studieuse qui justifiait l'envoi de mandats d'Armenia, même de façon sporadique. Elle avait déjà laissé sa marque sur la communauté latino-américaine, et il subsiste des témoignages de contemporains qui évoquent l'effet percutant de sa pétulance et de sa conversation malgré des vêtements modestes qui trahissaient un budget serré. S'il n'existe aucune trace d'une inscription à la Sorbonne, il reste quelques preuves d'une contribution épisodique à la presse madrilène et au journal d'opposition au gouvernement mexicain de Vasconcelos, *L'Antorcha*, qui disparut rapidement faute de subsides.

Vasconcelos, accaparé par ses responsabilités familiales et les contraintes de ses réunions politiques avec d'autres mouvements de l'opposition, ne pouvait lui consacrer le temps qu'elle aurait souhaité, et il ne semble pas avoir été particulièrement généreux financièrement, peut-être faute de moyens. Le tempérament sérieux de Vasconcelos, sans parler de ses livres au ton didactique, ne pouvait vraiment s'accorder avec la vision de Consuelo d'une vie de divertissements et de plaisirs. Même avec toute son admiration pour l'intelligence exceptionnelle de son amant, il est difficile d'imaginer qu'elle eut le temps de lire les deux impressionnants ouvrages qu'il écrivit à Paris : *La Raza Cosmica* et *Indologia una interpretacion de la cultura ibero-america*, dont la rédaction empiéta sérieusement sur leur complicité.

48

Les mois passant, le futur candidat mexicain à l'élection présidentielle discerna un changement subtil dans l'attitude de Consuelo. « Elle était devenue distante, nonchalante mais avec une flamme dans les yeux qui promettait des plaisirs diaboliques », écrit-il dans *La Tourmente* en se remémorant une conversation où elle lui asséna avec une déconcertante franchise : « Tu attends peu de moi, pas plus que je ne peux donner. Tu n'es qu'un étalon et je suis ta jument. »

Pourtant, Vasconcelos ne pouvait se libérer de son obsession pour une femme qu'il peint « folle, unique et pleine de paradoxes ». Un jour qu'il lui demandait son âme elle répondit : « C'est impossible. Je suis sûre que tu possèdes une âme, mais pas moi. Je ne me sens pas une âme. Je crois que nous n'avons pas tous une âme », des propos curieux de la part d'une personne profondément catholique qui, à la moindre contrariété, se précipitait dans une église pour faire brûler un cierge devant l'autel de la Vierge Marie.

Continuellement déchiré entre ses devoirs, sa famille et ses sentiments, Vasconcelos ne tarda pas à sombrer dans un abattement qui l'obligea à partir pour Biarritz afin de se refaire une santé – et une moralité selon ses amis. Quelques années plus tard, l'un de ses collaborateurs, Carlos Pellicer, émit le premier des critiques acerbes sur Consuelo.

« Nous jugions tous avec sévérité son double jeu, écrit-il, tout le monde en souffrait. »

Quant à l'amant éconduit, la virulence de ses invectives fut à l'échelle de leur mutuelle passion quand, dans ses *Mémoires* écrits dix ans plus tard, il décrit sa maîtresse avec « la langue d'une vipère et un sourire de crotale », tout en se demandant si elle l'avait autant aimé qu'elle le disait.

Dans le contexte de leur liaison, leurs querelles ne différaient pas beaucoup de celles de tous les amants, aggravées par deux tempéraments latins et têtus. Consuelo avait de bonnes raisons de garder une rancune à Vasconcelos. Malgré toute sa prétendue dévotion, c'était un homme de quarante-sept ans qui ne manifestait aucune velléité d'abandonner sa femme mexicaine et leurs deux enfants. Comme dans toutes les affaires de cœur, il est difficile de déterminer qui conduisit qui au désespoir et aux excès.

Leur liaison mouvementée aurait pu continuer indéfiniment si Vasconcelos n'avait été invité à se rendre en Amérique du Sud pour une série de conférences. Il revint en France un mois plus tard pour trouver Consuelo dans les bras d'un autre homme – un autre écrivain latino-américain – qu'elle espérait bien épouser.

CHAPITRE III

La meilleure épée de Paris

Les options radicalement opposées prises par Antoine de Saint-Exupéry et Consuelo Suncin, veuve Cardenas, pendant les dernières semaines de l'année 1926, furent paradoxalement les causes de leur rencontre à Buenos Aires, en 1930, et la raison des tensions qui minèrent leur mariage. Après une période de flottement à chercher sa voie, Antoine s'apprêtait à entrer dans une vie quasi monacale de pilote, d'abord dans un poste avancé du désert du Sahara espagnol, puis dans l'ombre de la cordillère des Andes. À cause de son enrôlement manqué de peu dans la Première Guerre mondiale, il saisit l'occasion offerte par Latécoère d'expérimenter une vie de solitude et de camaraderie virile, agrémentée de temps à autre par quelques flirts féminins. Sa nouvelle existence allait aussi lui fournir l'occasion de tester son courage face à la violence des éléments naturels que devaient constamment affronter les pilotes, parmi lesquels se distinguait l'intrépide Joseph Kessel, le vétéran de la Grande Guerre et seul représentant d'envergure du milieu de l'aviation dans la littérature avec son roman *L'Équipage*, publié en 1924. Ainsi, au moment de sa rencontre imprévue avec Consuelo à Buenos Aires, en septembre 1930, Antoine s'accomplissait dans des activités périlleuses où le mariage ne trouvait pas sa place.

51

Le parcours de Consuelo, à partir de décembre 1926, contraste parfaitement avec celui d'Antoine par une entrée officielle dans une élite menant grand train qui fit ultérieurement d'elle une femme aisée, courtisée par quelques écrivains et artistes de renom. L'homme qui accéléra son passage du statut de midinette à celui de muse fut Enrique Gómez Carrillo, l'une des figures littéraires les plus extravagantes de cette période. Il mourut en novembre 1927, onze mois après leur mariage, en laissant à sa jeune veuve une fortune et une célébrité suffisantes pour lui ouvrir d'autres portes. Mais il s'avéra que le seul domaine auquel elle ne pouvait accéder fut celui, ésotérique et dangereux, dans lequel évoluait Antoine.

La rupture entre Consuelo et Vasconcelos ressembla à un vaudeville avec des scènes de comédie dignes de la réputation donjuanesque des deux rivaux en lice, le philosophe mexicain et celui qui lui volait sa maîtresse, le flamboyant chroniqueur et écrivain guatémaltèque. Depuis son mariage malheureux avec Cardenas, elle avait été à bonne école pour apprendre l'art de manœuvrer les hommes, et elle sut avec une habilité consommée utiliser l'un contre l'autre.

Aujourd'hui, Gómez Carrillo est quelque peu tombé dans l'oubli mais, au début du siècle, il comptait parmi les membres les plus influents du Paris culturel depuis son arrivée dans la capitale en 1891, à l'âge de dix-huit ans. Plusieurs de ses contemporains le décrivent comme un personnage de la Renaissance avec un physique et un naturel beaucoup plus romantiques que ceux de Vasconcelos. De sa mère, à moitié française, il tenait son sens esthétique et une grande admiration pour la culture française, et de son père, une immense capacité de travail inculquée par un chef de famille sévère, respectueux des traditions espagnoles, qui l'enfermait des heures entières dans la bibliothèque pour lui donner l'amour des livres et l'initier à la culture. Sa famille avait vécu quelques années en Espagne pendant l'enfance d'Enrique avant de retourner au Guatemala où elle rencontra probablement la famille Sandoval, avec qui elle était apparentée.

Étudiant brillant, il parut normal qu'il bénéficiât d'une bourse présidentielle pour continuer ses études supérieures en Espagne, à l'exemple de la fine fleur de l'Amérique centrale. Mais la nouvelle élite ne souhaitait plus maintenir de liens avec le monarchique héritage espagnol dont la révolution l'avait libérée, et n'aspirait qu'à se plonger dans l'ambiance dynamisante de Paris. Désobéissant aux directives du président de se rendre à Madrid, Enrique opta pour la France et s'intégra immédiatement dans un cercle bohème dominé par les poètes Ruben Dario et Antonio Machado. Dans le milieu artistique et libertin, son physique de beau ténébreux lui attira autant de succès masculins que féminins et il joua de son ambivalence sexuelle en flirtant avec Oscar Wilde dont il écrivit plus tard avoir reçu un bouquet de fleurs. Grâce à son allocation mensuelle, il lui arriva d'apporter une assistance financière à Paul Verlaine, amateur d'absinthe et souvent sans le sou, en lui rachetant des effets personnels – petits meubles, vêtements et même sa canne. Des reliques dont hérita Consuelo et qu'elle conserva jusqu'à sa mort en 1979.

Dans son livre *Trente années de ma vie*, écrit avant l'épopée Consuelo, il parle en toute franchise de ses relations homosexuelles, et le chapitre final se termine sur un baiser échangé avec un compagnon. Ce penchant conservait peut-être encore un certain attrait en 1906 quand il épousa en premières noces une poétesse riche, imposante et intelligente, Aurora Caceres, issue de l'oligarchie péruvienne. Le mariage prit fin abruptement dix mois plus tard quand elle reprocha à son mari de s'être exposé à la terrasse d'un café en train de boire avec leur chauffeur, en attendant qu'elle sorte d'un rendez-vous chez son dentiste. Dans sa version de leur brève union, *Ma vie avec Gómez Carrillo*, elle révèle la suite de l'incident : de retour chez eux elle exigea d'Enrique le licenciement du chauffeur qu'il accepta avec ces mots : « Vous êtes antidémocrate. D'accord, il part, mais moi aussi. »

Dans son récit elle le décrit pleurnichard, sujet à d'intolérables changements d'humeur et à des accès de violence ; sa posture de dandy laissait place à celle d'un Barbe-Bleue moderne, ardent coureur de jupons qui dédia au moins quatre livres à ses maîtresses. Celles-ci le payèrent en retour des plus beaux compliments sur son art de faire l'amour, l'une d'elles répétait « que la douceur de ses caresses évoquait des mains faites de pétales ».

« Le meilleur moyen de connaître une ville est d'embrasser ses femmes », écrit Carrillo avant de se remarier en 1915 avec une chanteuse espagnole de cabaret, Raquel Meller, aussi extravagante et égocentrique que lui. Même si ce deuxième mariage s'en alla rapidement à vau-l'eau et se termina par un divorce, pendant des années son appartement regorgea de portraits et de représentations de cette flamboyante artiste dont il resta un fidèle spectateur des numéros de style flamenco.

Quand Consuelo débarqua à Paris en 1925, la réputation de Carrillo atteignait à la légende, en partie à cause de son apparente participation – qu'il réfuta toujours – à l'arrestation de l'agent secret Mata Hari, et surtout grâce à l'émotion causée par sa biographie de la belle aventurière néerlandaise fusillée en 1917. Selon les rumeurs qui circulaient dans un milieu assez bien informé, il aurait été recruté par le Deuxième Bureau français pour faire partie d'un piège tendu à l'espionne dans lequel elle tomba, après un rendez-vous secret avec Gómez Carrillo, à Madrid, où il se rendait régulièrement pour rencontrer ses employeurs, les journaux *ABC* et *El Liberal* qui publiaient ses chroniques parisiennes. Quel que fût le rôle joué par Carrillo dans cette arrestation, après l'Armistice il fut promu commandeur de la Légion d'honneur pour ses services rendus à la France pendant la guerre.

Encore plus surprenante que sa considérable production littéraire fut l'importance de ses revenus, bien supérieurs à ceux des politiciens avec lesquels il dînait. Dans les trois premières décennies du siècle, avant l'avènement de la télévision et du cinéma parlant, les auteurs à succès jouissaient d'un statut de célébrités et pouvaient réclamer des cachets qui leur permettaient de vivre sur un grand pied, à l'instar d'une vedette du show-biz d'aujourd'hui.

El Mirador, la villa de Gómez Carrillo sur les hauteurs de Cimiez à Nice, où il passait la majeure partie de l'hiver, comportait une quinzaine de pièces avec vue d'un côté sur la Méditerranée, et de l'autre sur les Alpes. Travailleur acharné, il se levait à l'aube après quelques heures de sommeil et consacrait ses matinées à la rédaction d'articles, généralement des commentaires littéraires, politiques ou sociaux de la vie française, destinés à la presse espagnole et à sa revue fondée à Paris, *L'Espagne*. Il consacrait le reste de son temps à la préparation de ses livres, à une vie sociale active et à la poursuite de ses aventures amoureuses. Son appartement parisien, rue de Castellane, décrit comme un petit musée, suscitait l'admiration des visiteurs tant par la valeur que par l'esthétique des véritables chefs-d'œuvre achetés par ses soins ou offerts par des amis qui comprenaient entre autres Salvador Dali et Gabriele d'Annunzio.

En jetant son dévolu sur Gómez Carrillo, les raisons de Consuelo ne furent pas uniquement pécuniaires, car elle possédait suffisamment d'atouts pour conquérir un autre mari potentiel aussi intéressant matériellement parlant. Elle était fascinée par la magie du verbe et se sentait irrésistiblement attirée vers les auteurs. Il est probable aussi qu'elle ait lu *L'Art de la prose*, un essai écrit en espagnol signé Gómez Carrillo, considéré par les puristes comme le meilleur ouvrage didactique sur le sujet.

Saint-Exupéry, dont l'écriture ronde ressemble étrangement à celle de Carrillo, passait lui aussi une bonne partie de ses nuits a écrire et remanier des pages de manuscrits avec, au final, un résultat beaucoup moins volumineux, quatre livres peu épais et un florilège d'articles de presse qui sont la trame de *Terre des hommes*. Beaucoup plus tard, Consuelo compara les méthodes de travail de ses deux maris écrivains en ces termes : « Alors que Gómez Carrillo écrivait avec une grande facilité, Antoine était torturé par la difficulté d'écrire. »

Avant son mariage avec Enrique, Consuelo ne pouvait pas non plus les impulsions donquichottesques de son fiancé latino-américain qui lui firent lancer, pour le regard langoureux de ses belles, dix-huit provocations en duel, généralement à la rapière, qui lui valurent la réputation de meilleure épée de Paris. L'un de ses illustres adversaires ne fut autre que le chef de l'Action française, Charles Maurras.

La susceptibilité et le tempérament capricieux de Carrillo n'entamèrent pas l'influence qu'il exerça sur le cercle international d'admirateurs qui se retrouvait au café Napolitana, le lieu de prédilection de la communauté latino-américaine, ni ne le desservirent dans ses activités de consul d'Argentine, un honneur décerné par le président Hipólito Irigoyen quand l'écrivain opta pour la nationalité argentine.

On ne peut évoquer le don de conteuse de Consuelo sans relater la touche de couleur et de romantisme qu'elle ajouta à sa rencontre avec Gómez Carrillo en la plaçant dans des circonstances insolites – un bal masqué chez le peintre «fauve» Kees Van Dongen. Parmi les invités se trouvait l'impétueux Guatémaltèque qui éprouva le classique coup de foudre en l'apercevant, sans se douter que l'avenir lui réservait les mêmes tourments qui torturaient Vasconcelos et que connaîtrait un jour Saint-Exupéry. Elle passa sous silence le fait plus prosaïque que sa mère Ercilia Sandoval lui avait confié un mot d'introduction destiné à Carrillo, son lointain parent.

Le récit du face-à-face d'une beauté de vingt-cinq ans qui préférait en annoncer dix-neuf et du prolifique et fougueux écrivain de cinquante-trois ans ne nécessitait aucun embellissement car, en définitive, il apparaît fade comparé au médodrame qui suivit, raconté par Vasconcelos et Léon Pacheco, le secrétaire de Gómez Carrillo. Seule la mort prématurée de «Gomarella», le méprisant sobriquet utilisé par Vasconcelos dans ses mémoires pour parler de son rival, met un bémol au ridicule d'un scénario désopilant fait de passion et de jalousie.

La renarde se défend

En 1918, un proche de Gómez Carrillo le portraiturait de taille moyenne, svelte, avec une belle tête arborant une fine moustache à l'espagnole mais avec des rides aux coins de la bouche annonciatrices d'un vieillissement précoce dûs à ses excès. Des photos prises juste après son mariage avec Consuelo le montrent dans la force de l'âge – l'on devine même l'instinct de possession dans la main posée sur le cou de sa femme – alors qu'il confiait dans une lettre à Pacheco : « Je n'ai rien à offrir sinon ma syphilitique décrépitude » – et un cœur probablement surmené puisqu'il décédait soudainement moins d'un an plus tard. S'il donna l'impression que sa jeune femme fut sa dernière acquisition – un objet d'art disputé dans une enchère sentimentale contre un surenchérisseur macho –, Consuelo n'eut pas matière à s'en plaindre. Il lui offrit la protection matérielle, l'affection parfaite qu'elle recherchait depuis la disparition de son père et la stabilité financière indispensable pour ses extravagances.

Personne ne pourrait reprocher à Consuelo d'avoir joué son joker sur Carrillo, quand il devint évident qu'à vingt-cinq ans ses chances d'enlever Vasconcelos à sa famille s'amenuisaient chaque jour. Même s'il avait finalement succombé et accepté de quitter femme et enfants pour elle, son avenir se résumait à un retour au Mexique où son amant envisageait de se lancer dans l'aventure imminente des présidentielles. Dans sa quête de sécurité, soupçonnant le premier ternissement de sa fraîcheur, Consuelo provoqua un chassé-croisé sentimental dans lequel ses deux prétendants se heurtèrent de front avec l'ardeur de deux adolescents fougueux alors qu'il s'agissait d'intellectuels adultes respectés pour la qualité de leurs analyses sociologiques.

Dans la volonté de Carrillo d'arracher Consuelo au pouvoir de Vasconcelos, le besoin de marquer son ascendant sur le Mexicain et de l'humilier joua un rôle certainement aussi important que celui de séduire sa maîtresse. Ses responsabilités diplomatiques l'appelant pour quelques semaines en Argentine, il pria Consuelo avant son départ de se considérer comme sa fiancée et de se présenter comme telle auprès de ses nombreux amis. À cet effet, il lui remit un mot de recommandation dans lequel il avait sournoisement glissé la phrase : « Voici la chérie de Vasconcelos. » Quelques jours plus tard, en route pour Buenos Aires, il faisait escale à Madrid où il annonçait qu'à son retour de voyage il allait épouser une magnifique jeune femme salvadorienne.

Vasconcelos, l'amant éconduit, avait non sans mal respecté le choix de Consuelo et décidé de « faire sa sortie » jusqu'à ce qu'il prenne connaissance de la phrase scélérate dont on faisait maintenant des gorges chaudes dans le milieu latino-américain. Rendu furieux par l'impudence du Guatémaltèque, l'ancien ministre mexicain oublia ses bonnes résolutions et jura : « Puisqu'il m'a volé ma maîtresse, eh bien, je vais lui prendre sa fiancée ! »

Pendant la semaine qui suivit, il négligea son travail pour s'afficher aux côtés de Consuelo dans les cafés et restaurants fréquentés par la clique de Carrillo, jusqu'au moment où il tomba nez à nez avec Pacheco, le loyal secrétaire du chroniqueur. Dans son livre, Vasconcelos présume avec satisfaction que, les jours suivants, le télégraphe entre Buenos Aires et Paris fut saturé de rapports sur la conduite de « la fiancée ». Lui-même recevait peu de temps après un télégramme de

59

Carrillo le provoquant en duel, auquel il répondit en acceptant le face-à-face sans trop y attacher d'importance.

Mais Consuelo, généralement maîtresse de ses émotions, commença à montrer des signes de panique et d'hystérie, le suppliant de renoncer à cette rencontre en lui rappelant les qualités d'épéiste de son rival et en se lamentant, toujours selon Vasconcelos : « Il va te tuer. Ô mon Dieu, que dois-je faire ? Je veux partir d'ici. » La voir dans un tel état de fébrilité à son sujet redoubla les ardeurs amoureuses du grand philosophe mexicain qui, dans une prose digne du journal d'une femme de chambre, décrit le paroxysme de leur passion : « Jamais nous ne nous étions autant aimés. Nous perdions du poids à force de nous dévorer l'un l'autre. Le feu du désir s'allumait soudainement alors que nous allions de bal en bal et d'hôtel en hôtel. Les rides profondes de la mort marquaient mon visage, causées par les flammes de l'enfer. »

De l'autre côté de l'Atlantique, Gómez Carrillo, probablement tenu au courant des événements, faisait savoir à ses fidèles, par l'intermédiaire de Pacheco, qu'il s'était épris au cours d'une soirée mondaine d'une veuve belle et fortunée, prête à l'épouser et à mettre de l'ordre dans ses affaires. Il précisait avoir reçu de Biarritz un télégramme de Consuelo lui disant être seule et « penser constamment à lui ». Dépêche à laquelle il disait n'avoir attaché aucune importance et même n'y avoir pas répondu.

« Je suis enfin délivré des démons. Je suis guéri de cette renarde de Consuelo. » Tout au moins le pensait-il.

Carrillo, « l'homme qui vivait pour le journalisme », comme le décrira la notice nécrologique du journal madrilène *ABC*, ignorait encore avec quelle faculté de duelliste Consuelo pouvait jouer avec les sentiments. Dans un premier temps, il lui donna l'avantage dans une énième volte-face en lui câblant à Biarritz de le retrouver à Madrid où il organiserait leur mariage. Mais sa fiancée ne s'ennuyait pas dans l'agréable station balnéaire du Sud-Ouest où, en compagnie de Vasconcelos, elle se délectait avec volupté du luxe du splendide Hôtel Le Palais construit en bord de mer pour l'impératrice Eugénie. C'est avec jubilation que le Mexicain prit connaissance du message de son rival et conseilla à sa compagne de ne pas y donner suite. Celle-ci obéit en lui avouant avec passion qu'elle n'avait jamais aimé quelqu'un autant que lui.

De retour à Paris dans son appartement de la rue de Castellane, Carrillo eut peut-être des échos de cette ultime trahison et décida catégoriquement d'en finir avec Consuelo. C'est alors que celle-ci joua sa carte maîtresse en utilisant un stratagème vieux comme le monde, sûre de produire son effet. Habillée pour le coup de grâce elle passa lentement, en s'appuyant avec langueur sur le bras d'un beau jeune homme, devant la fenêtre du bureau de l'appartement en rez-de-chaussée de Carrillo. La fenêtre s'ouvrit soudain avec violence et la tête furieuse de l'écrivain apparut, criant : «Ah non, non, pas ça ! Pas devant chez moi !» Se précipitant dehors, il saisit sa «renarde» par le bras et l'entraîna à l'intérieur, laissant le jeune soupirant s'éloigner nonchalamment. La scène probable qui suivit cet éclat n'eut pas de témoins ; le lendemain, Pacheco assistait à un départ précipité du maître pour Nice au volant de sa petite Renault sport avec à ses côtés une promise apparemment soumise, pelotonnée contre l'homme qu'elle allait épouser quelques jours plus tard.

Curieusement, l'administration niçoise n'a trouvé dans ses archives aucun enregistrement d'un mariage civil en décembre 1926 et les recherches effectuées dans d'autres localités ne furent pas plus concluantes. Les formalités se déroulèrent peut-être au domicile même de Carrillo. Son statut de consul argentin et la nationalité étrangère de sa future femme lui permettaient de dresser lui-même l'acte de mariage. Au cours de conversations, Consuelo fit quelquefois allusion à une cérémonie religieuse, et l'une de ses connaissances, Damian-Carlos Bayon, eut l'occasion d'entendre l'anecdote très théâtrale, superbement mimée mais évidemment germée dans l'imagination de la jeune femme. À la sortie de l'église l'épouse répudiée, Raquel Meller, vêtue de noir, se présenta devant le couple et brandit un revolver qu'elle pointa sur la nouvelle señora Carrillo, mais le revolver s'enraya et elle chancela dans les bras de son mari.

Pendant leur lune de miel, Carrillo réserva une visite à son grand ami, l'écrivain belge Maurice Maeterlinck, surtout connu pour sa pièce *Pelléas et Mélisande* mise en musique par Debussy, dans son imposant manoir d'Orlamonde, dans les environs de Nice. Lauréat du prix Nobel de littérature en 1911, Maeterlinck avait, trois ans après cet honneur, été au centre d'une controverse internationale et mis à l'Index par le Vatican pour son ouvrage *La Mort*, considéré comme trop sulfureux.

Malgré leurs natures très différentes, l'esthète et charismatique Carrillo vouait une grande admiration à l'auteur belge de soixante-quatre ans décrit ainsi par Gide : « très positivement un homme du Nord dont le mysticisme est le produit d'un exotisme psychique. » D'autres écrivains le comparaient à Henrik Ibsen, l'opposé du chaleureux couple latino-américain. Néanmoins, un courant de sympathie rapprocha Maurice et Consuelo en qui il découvrit une fée intelligente et source d'inspiration littéraire. Leur amitié, qui se noua grâce à Enrique, allait avoir une influence prépondérante sur sa décision d'épouser Antoine de Saint-Exupéry.

La fugue vers le Sud de la France avait mis un point final à la confrontation mexico-guatémaltèque, mais Carrillo commença à ressentir physiquement les conséquences d'une vie licencieuse. Dans une lettre à Pacheco, il confie : « Consuelo est une compagne fidèle et la lumière de mes derniers jours » ; une indication qu'il se savait condamné avec peu de temps à vivre.

Les semaines passées avec sa jeune épouse dans la douceur provençale eurent sans doute pour l'écrivain vieillissant le goût de son enfance au Guatemala. Les deux époux avaient en commun la même langue avec des idiomes très particuliers et évocateurs, les mêmes traditions, le même amour de la poésie, chacun connaissait le pays de l'autre et ils partageaient même un ancêtre. Tous les témoignages sur Consuelo concordent à dire qu'elle pouvait, à son heure, être une excellente maîtresse de maison et concocter de délicieux mets exotiques qu'elle prépara sans doute avec attention pour son nouveau compagnon.

La question de savoir si Carrillo tenta d'égaler les prouesses sexuelles dont se targuait Vasconcelos reste sans réponse. L'idée même d'une comparaison à son désavantage put lui causer un stress qui contribua à la congestion cérébrale qui le terrassa sur le chemin du café Napolitana, onze mois après son mariage. Il passa une semaine à l'hôpital avant de réintégrer son domicile, rue de Castellane, où il se prépara à mourir en dictant son testament qui léguait tous ses biens à Consuelo. Celle-ci veilla à son chevet pendant plusieurs jours, accueillant une foule de visiteurs venus dire adieu au malade jusqu'à ce que les derniers l'entendent murmurer : « Maintenant, je suis un idiot », avant de s'éteindre dans les bras de sa femme.

Si Consuelo connaissait la popularité de son mari, elle en mesura vraiment l'ampleur avec son décès. En l'église de la Madeleine, une procession de personnalités vint s'incliner devant le catafalque drapé des couleurs azur et blanc des drapeaux argentin et guatémaltèque. L'inhumation se déroula au cimetière du Père-Lachaise en présence de Maeterlinck, qui accompagnait Consuelo juste derrière le cercueil, et des envoyés de nombreux gouvernements. Édouard Herriot, alors ministre de l'Éducation, représentait la France. La seule absence notoire qu'aurait déplorée Carrillo fut celle de son ami italien Gabriele d'Annunzio, son complice de nombreuses beuveries retenu en résidence surveillée dans sa propriété près du lac de Garde, qui s'écria, consterné en apprenant la mort d'Enrique : « Carrillo est mort, l'amour est mort ! »

Les émules et admirateurs du chroniqueur mondain manifestèrent d'une manière plus prosaïque leur tristesse en accrochant pendant un mois son portrait au Napolitana, encadré d'une guirlande lumineuse, et n'oublièrent pas de lui porter un toast à l'heure du pastis, sa boisson préférée.

La tortue du poète

Du jour au lendemain, Consuelo Suncin, veuve Gómez Carrillo, la fille ambitieuse du village d'Armenia, se retrouvait à la tête d'une fortune considérable en propriétés et en droits d'auteur légués par feu Enrique Gómez Carrillo.

Acte de naissance de Maria Consuelo Suncin, née le 10 avril 1901.

Izalco, le volcan d'Armenia, éteint depuis 1958. Le décors d'enfance de Consuelo dont le souvenir inspira peut-être Saint-Exupéry pour les dessins du Petit Prince.

La maison familiale des Suncin à Armenia.

Une fabrique de briques sur la propriété des Suncin à Armenia.

La mère de Consuelo entourée de ses deux autres filles, Dolorès et Amanda.

Le père de Consuelo, le colonel Félix Suncin.

La mère de Consuelo, Ercilia Sandoval.

Consuelo debout et une amie.

Consuelo et son oncle pendant
une promenade à cheval.

Photo de famille.
La mère de Consuelo (à gauche)
et Consuelo (à droite).

José Vasconcelos, pendant la campagne présidentielle de 1929 au Mexique.

Denis de Rougemont à la fin des années trente.

Consuelo et Enrique Gómez Carrillo à Nice, en 1926, peu de temps après leur mariage.
Photo dédicacée à Salvador Dalí.

La villa aux murs rouges de Cimiez représentait sans conteste le joyau de cet héritage avec son intérieur raffiné aux sols dallés recouverts de tapis persans. Parmi les objets d'art accumulés pendant une trentaine d'années, un connaisseur aurait pu identifier de petits chefs-d'œuvre achetés à des artistes ou poètes temporairement désargentés. Le bureau de Carrillo débordait d'une correspondance de célébrités du monde entier faisant l'éloge de ses livres, la plupart écrits dans cette maison dominant le bleu de la Méditerranée. L'appartement de Paris, de taille plus modeste, abondait également en objets de valeur auxquels il fallait ajouter les royalties de l'œuvre littéraire du défunt, une pension du gouvernement argentin et, éventuellement, un revenu de ses terres en Argentine.

Aussi important que les biens matériels, Enrique laissait à sa veuve un nombre impressionnant d'amis influents dans les milieux politique et littéraire, et d'artistes d'expression espagnole déjà en pleine gloire, tels que Pablo Picasso ou ceux de la génération de Consuelo, comme Salvador Dali et Joan Miró. Une fois la période de deuil écoulée, la jeune veuve, qui pouvait encore prétendre avoir juste dépassé la vingtaine, se retrouva désœuvrée, hormis ses nombreuses invitations et ses contributions journalistiques à la chronique des potins mondains pour la presse madrilène.

Par une étrange coïncidence, le dernier écrivain qui fascina Consuelo avant Antoine fut aussi un héroïque pionnier de l'aviation, un personnage hors normes de la littérature italienne et européenne. Gabriele d'Annunzio était le troisième compère du trio formé par Carrillo et Maeterlinck qui sévissait dans les soirées parisiennes des années 1900. À sa réputation de dandy s'ajoutait celle d'un pilote intrépide et l'aura d'un poète et d'un écrivain au style plutôt sulfureux qui se faisait l'émule de Giosue Carducci, le prix Nobel de littérature férocement anticlérical, auteur de *L'Hymne à Satan*.

Ni Maeterlinck ni Carrillo n'étaient dépourvus d'égocentrisme, mais ils trouvaient un maître dans le nombriliste italien dont l'extravagante villa « Vittoriale » était un monument élevé à sa gloire et à son désir d'autocélébration. En 1927, au moment de la disparition de son ami guatémaltèque, d'Annunzio vivait dans sa prison dorée une sorte d'exil, à cause de ses manifestations d'un nationalisme rebelle qui inquiétèrent Mussolini et le firent maintenir à l'écart, avec comme seule compensation l'usage illimité et gracieux du téléphone italien. À soixante-cinq ans, l'érotisme et la beauté demeuraient ses sources d'inspiration, et dans son *Livre secret* il écrit : « Le langage est une chose charnelle, mystérieuse comme la chair, comme la jouissance. » Une obsession qui apparaissait déjà en 1895 dans l'un de ses premiers romans, *Le Triomphe de la mort*, où une femme fatale, « insurpassable dans l'art de caresser les reins aux mâles », provoque chez son amant une jalousie destructrice, une image susceptible de produire une note vibrante dans le corps mélodieux de Consuelo en quête d'un successeur au fringant Carrillo et à l'intellectuel Vasconcelos.

Elle s'invita elle-même au « Vittoriale » par une lettre à d'Annunzio à laquelle elle joignit sa photographie. La femme de Maurice Maeterlinck, Célisette – familière de l'écrivain italien – tenait le rôle de chaperon et la prépara sans doute au face-à-face avec l'auteur le plus érotique de sa génération et grand obsédé sexuel. Son roman autobiographique *Le Feu*, dans lequel il décrit « son besoin

66

impérieux de désirs charnels » et sa passion avec l'actrice Leonora Duse, avait causé un scandale qui attirait à la villa une procession de jeunes beautés désireuses d'intégrer le harem de l'incomparable amant.

Pourtant, son visage sombre au regard inquiétant, accentué par un crâne rasé et le cache noir qu'il portait depuis la perte de l'œil gauche dans un accident d'avion, ne pouvait être qualifié de beau, à moins d'être séduit par les stigmates d'une évidente débauche. En plus d'une immense fortune, constituée rapidement après son retour de la Première Guerre mondiale, ses exploits patriotiques lui avaient valu plusieurs décorations de différents pays et l'honneur de porter le titre de prince de Montenevoso. Un anoblissement dont il ne sembla pas faire un très grand cas, mais qui impressionna peut être Consuelo et lui rappela ses rêves de petite fille de devenir reine dans un pays lointain.

Ce qu'elle découvrit en arrivant au village de Gardone, au-dessus du lac de Garde, valait cent fois le déplacement. En février 1921, alors qu'il se remettait d'une dépression, d'Annunzio avait emménagé dans une grande bâtisse du XVIIIe siècle qu'il rebaptisa « Vittoriale » (mémorial de la victoire). Quand il visita la propriété pour la première fois, l'écrivain fut séduit par les jardins qui descendaient en pente douce vers le lac qu'il apercevait à travers un écran d'oliviers, de cyprès et de magnolias sous lesquels s'épanouissaient les variétés de fleurs les plus parfumées. Il décrivit en ces mots l'impression laissée par l'aperçu de ce paradis : « Tout est bleu, comme une ivresse inattendue, comme une tête qui se renverse pour recevoir un baiser profond. »

Cette demeure avait été confisquée après la guerre à un couple d'Allemands, Heinrich Thode et sa femme Daniela von Bülow, la fille de Cosima Liszt. Quand il emménagea, d'Annunzio découvrit dans l'une des pièces un Steinway qui avait appartenu à Liszt. Sur ce piano il demandait quelquefois à Luisa Baccara, l'un de ses grands amours, de jouer pendant qu'il se livrait à son sport favori avec des partenaires fournies par sa secrétaire, dont l'une des attributions consistait à veiller à ce que le sérail ne s'aventure pas dans l'aile réservée à l'épouse légitime.

La transformation de cette vaste maison devint une obsession pour créer un décor fantasque propice à ses ébats voluptueux, mais qui n'empiétât pas sur son besoin primordial d'écrire. «L'écriture, l'art de la parole est le plus accompli des jeux de l'esprit», affirmait-il. Il aimait se livrer à ses rituels érotiques dans la chambre de Léda où rien n'avait été négligé pour enflammer sa libido, parfums orientaux, jetés de fourrure, tapis de soie et statues érotiques.

«De quelle luxure de fauve, de quelle imagination impure je me suis nourri ces derniers temps», écrit-il dans son *Livre secret*. Il n'est pas surprenant que de telles confessions contribuèrent, après sa disparition, à gonfler sa réputation d'hédoniste pour le mettre au rang de Masoch et Sade.

Pendant des années, Consuelo régala ses amis avec des anecdotes sur son séjour au «Vittoriale» qui peuvent être perçues comme la création de son esprit fantaisiste ou la simple narration du comportement d'un monstre littéraire qui faisait des courses effrénées sur le lac avec un bateau anti-sous-marin, tirait des coups de canon à partir d'un navire de guerre à moitié enterré dans son jardin pour commémorer les anniversaires de ses exploits militaires, ou s'allongeait dans un catafalque aménagé dans la «chambre du Lépreux» pour contempler la venue de sa mort.

Fidèle à elle-même, Consuelo fit plusieurs versions de sa rencontre avec le chantre de la passion. Selon la plus courte, l'Italien se montra tellement tyrannique que Célisette et elle profitèrent de sa sieste pour prendre la poudre d'escampette après quatre jours d'angoisse, et sauter dans le premier train pour la France. Il est difficile de savoir si elle fut introduite dans la chambre de Léda ou même dans l'*officina* du maître où une copie de la Victoire de Samothrace dominait l'écritoire du poète. Au pied de la statue trônait une tête en plâtre de la Duse recouverte d'un voile, car son souvenir, trop intense, perturbait la concentration du créateur. Les personnes qui ont côtoyé Consuelo se souviennent du plaisir avec lequel elle évoquait son séjour en Italie – qui variait de quatre à trente jours –, toujours assurée de remporter un franc succès avec sa traduction des aveux intimes du maestro, gravés au-dessus des portes intérieures de la résidence, que son propriétaire considérait comme une « révélation spirituelle, comme un de mes poèmes ».

Son premier dîner dans la vaste salle à manger lugubre, meublée d'une immense table en marbre noir, restait pour elle un instant mémorable dont elle ne se lassait pas de recréer l'atmosphère surréaliste causée par une tortue à la carapace noire faisant de laborieux aller et retour en portant le sel et le poivre sur son dos, devant des invitées – autres qu'elle et Célisette – tétanisées par ce qui les attendait derrière les lourdes tentures de brocart.

Quelques mois après avoir échappé à son satyre, soit par la porte principale, soit par un tunnel secret, Consuelo allait rencontrer son troisième mari, Antoine de Saint-Exupéry, un écrivain en début de carrière avec un livre très moyen à son actif, ayant grandement besoin d'une muse. Elle avait constaté la gloire et l'opulence de Gabriele d'Annunzio, et pouvait donc espérer que le jeune aristocrate français, possesseur lui aussi d'un talent pour l'aviation et l'écriture, ne la décevrait pas.

DEUXIÈME PARTIE

1930-1979

CHAPITRE IV

Un baiser en plein vol

Quand Antoine et Consuelo se rencontrèrent pour la
première fois au centre Los Amigos del Arte à Buenos
Aires, en septembre 1930, Saint-Exupéry pouvait savourer
les effets d'une période faste dans sa vie. Il avait quitté son
poste du désert de Cap-Juby avec la Légion d'honneur
décernée en reconnaissance de son courage à secourir les
pilotes en panne dans les sables, et pour son intervention
dans la libération des aviateurs prisonniers de tribus
arabes du Sahara.

Transféré en Argentine afin d'organiser l'ouverture de la
route des Andes vers la Patagonie, il avait affronté avec
brio les pires conditions de vol dans un cockpit ouvert,
exposé au vent, au froid, à la neige ou au soleil impla-
cable du désert. Au retour de ses périlleuses missions, il
trouvait un grand réconfort dans la compagnie des autres
pilotes dont il s'était entouré, les anciens de la route afri-
caine tous aussi valeureux que lui. Parmi ces pionniers
remarquables il préférait Henri Guillaumet, un homme au
charme simple qui cachait une volonté de fer. Dans ce
milieu de célibataires endurcis, Henri avait gagné le pari,
apparemment impossible, de se marier et d'être heureux.
Il avait épousé Noëlle, à Buenos Aires, en 1929, la femme
rêvée de tout aviateur, compréhensive, stoïque et capable

73

de tout abandonner pour partager la passion de son mari pour l'aviation.

Alors que dans *Courrier Sud* et *Vol de nuit* l'auteur insiste sur l'incompatibilité d'un mariage heureux avec une carrière dangereuse, les Guillaumet apportaient la preuve vivante du contraire. Saint-Exupéry passa une grande partie de son temps libre avec le couple pendant les mois qui précédèrent sa rencontre avec Consuelo, profondément admiratif de leur dépendance mutuelle et de leur réalisme.

Dans sa correspondance, surtout à sa mère, il décrit Buenos Aires comme une ville morne et sans intérêt, et confie sa solitude difficile à supporter, quand les heures passées dans des bars en compagnie d'hôtesses peu farouches n'apportaient qu'un maigre palliatif. Le bonheur de Guillaumet le rendait conscient d'un vide dans son existence et il souhaitait de toute son âme avoir la même chance avec une compagne. Pour le meilleur ou pour le pire, Consuelo arriva au moment opportun, amenant avec elle ce qui manquait le plus dans la vie de l'aviateur : du rire, de la fantaisie, et la foi en son talent d'écrivain. Sa vulnérabilité émotionnelle, causée par un manque de stabilité sentimentale et par un environnement déprimant, le fit tomber amoureux au premier regard des yeux noirs de la jeune femme.

Le récit que fit Antoine de sa rencontre avec celle qu'il appela son « oiseau des îles » resta toujours très succinct. Selon lui, il aperçut la première fois Consuelo à une réception où elle se présenta comme ayant dix-neuf ans. Par la suite, elle s'introduisit en catimini dans le cockpit de son avion en se cachant derrière le siège du copilote d'où elle n'émergea qu'en plein ciel pour clamer qu'il l'avait compromise en l'enlevant et qu'il se devait de l'épouser.

Heureusement, Consuelo s'étendit plus longuement sur l'épisode au cours d'interviews à la presse ou d'émissions télévisées qui, même avec quelques touches de fantaisie, donnent une séquence logique des événements. En septembre 1930, elle répondit à une invitation du président Hippolyte Irigoyen, celui-là même qui avait nommé Gómez Carrillo au poste de consul à Paris pendant un premier mandat. Elle devait discuter avec lui, entre autres, de la pension de veuve de diplomate à laquelle elle avait droit et de la vente en Argentine de biens immobiliers de feu son mari.

Elle voyagea en bateau avec un groupe de conférenciers français parrainé par Benjamin Crémieux, un auteur des Éditions Gallimard, surtout connu pour ses traductions de Pirandello et certainement fasciné par les anecdotes de Consuelo concernant d'Annunzio et son extravagant palais. Lorsqu'ils en arrivèrent à parler de Saint-Exupéry, Crémieux lui fit des éloges enthousiastes de l'auteur, proposant même de lui lire sa dernière lettre.

« La lettre sortait de l'ordinaire : de l'esprit, de la fantaisie, plein d'imprévu, et attestait une grande culture. J'avouai aussitôt que je voulais bien qu'on me présente ce pilote étonnant qui savait si bien écrire », déclara-t-elle en 1974 au magazine de l'aviation *Icare*.

Elle descendit avec les Français à l'hôtel Majestic où logeaient les pilotes célibataires d'Aeroposta, une filiale de l'Aéropostale, un facteur qui contribua ensuite à la consommation rapide d'une passion partagée. Consuelo se rendit à la réception au centre Los Amigos del Arte de l'Alliance française, déterminée à connaître Antoine qui revenait d'un voyage en Terre de Feu. Dès qu'il fut devant elle, à peine remis d'un vol de douze heures dans des

75

conditions difficiles, elle eut du mal à contenir son effroi à cause de sa grande taille – il mesurait vingt-deux centimètres de plus qu'elle – et de la puissance qui émanait de son corps massif. Mais elle se sentit irrésistiblement attirée par ses yeux brillants d'intelligence et d'espièglerie et elle fut conquise avant même d'entendre sa voix.

Selon Consuelo, Antoine faillit tout gâcher dès les premières minutes en constatant à haute voix qu'elle était toute menue et toute petite, sans savoir qu'elle parlait et comprenait parfaitement le français. Offensée par cette remarque, elle tourna les talons et demanda son manteau pour partir, avant d'expérimenter le charme désarmant d'Antoine. Il se précipita pour s'excuser et l'implorer de rester en se décrivant comme un gros ours qui ne demandait qu'à être apprivoisé, ajoutant qu'elle ne pouvait l'abandonner car il n'avait parlé à personne depuis une semaine.

La suite est d'un romantisme dont sont faites les légendes. Pour se faire pardonner, Antoine proposa à Consuelo de l'emmener faire un tour en avion – son baptême de l'air – et admirer les flammes de la révolution qui venait de renverser le président Irigoyen. Quand elle répondit qu'elle ne pouvait laisser ses amis, il annonça avec désinvolture que son Laté 28 pouvait recevoir tout le monde et le groupe se retrouva dans l'avion avec Consuelo installée sur le siège du copilote.

Elle admirait les lumières de la capitale quand elle entendit une voix péremptoire lui commander : «Embrassezmoi.» Elle protesta : «Dans mon pays on n'embrasse que les gens que l'on aime», ce qui le rendit triste. Il l'accusa ensuite de refuser parce qu'elle le trouvait laid et il menaça de plonger dans le Rio de la Plata où ils allaient tous se noyer si elle s'obstinait dans son refus.

Consuelo confia sa réaction en ces termes : « L'aurait-il fait ? Je le regardai avant de répondre. Je vis deux larmes dans ses yeux brillants. Alors, avec empressement, un peu affolée, émue, je déposai un baiser timide sur la joue de mon pilote en ajoutant doucement : "Vous n'êtes pas laid." »

Dans l'un des numéros d'*Icare* consacré à Saint-Exupéry, Consuelo décrit ainsi les conséquences de leur escapade : « De ce jour, Antoine fut pour moi le plus adorable des chevaliers servants, mais aussi le plus tyrannique. Je crois bien qu'il me considérait comme sa propriété. Dès qu'il se montrait, je devais abandonner tout le monde pour le suivre, en avion, en voiture, au restaurant, au spectacle.

« Il réussit ainsi à créer le vide autour de moi. Pour lui, me disait-il, seule comptait ma présence, et pour moi, prétendait-il, seule devait compter la sienne. »

Un soir il lui demanda de l'épouser, mais dans son entretien avec *Icare* elle reconnaît qu'il l'effrayait un peu après avoir entendu les propos que lui rapportèrent ses amis sur ses excentricités. Par ailleurs, sa séduction d'une jeune veuve commençait à faire jaser le milieu bourgeois de Buenos Aires qui regardait d'un œil choqué la conduite du couple. Pour sa part, Antoine reçut peu d'encouragement au mariage de la part de ses collègues. Didier Daurat, le patron de l'Aéropostale dont la discipline inflexible fournit le thème de *Vol de nuit*, n'approuvait pas le choix d'une vie familiale pour ses pilotes, et craignit dans la relation d'Antoine l'influence déstabilisante de Consuelo qu'il jugeait « volcanique, véhémente, distraite, volubile, frivole avec un français peu grammatical et incompréhensible à cause de son roulement prononcé des *r* ».

« Nos rencontres continuèrent pourtant, ajoute Consuelo. Chaque fois qu'il revenait de voyage, nous nous retrouvions, et j'étais émerveillée par les cadeaux qu'il m'apportait. C'était toujours inattendu. Une fois un ouistiti, une autre fois un minuscule oiseau qui imitait le bruit de la locomotive. Mais chaque jour il reposait la même question : « Voulez-vous m'épouser ? Pourquoi attendre ? Vous êtes ma fiancée puisque vous m'avez embrassé. »

Face à la réticence de Consuelo – probablement due à son expérience sentimentale – il lui présenta ce qui devint un argument irrésistible. Un soir, il lui tendit un exemplaire dédicacé de *Courrier Sud* et, en même temps, lui glissa un paquet contenant une lettre de quatre-vingts pages adressée à Madame Chérie et se terminant par les mots : « Votre fiancé si vous m'acceptez. » La lettre était en fait le premier jet de *Vol de nuit*. Consuelo se rendit soudainement compte que le destin lui offrait l'occasion unique de modeler la carrière d'un écrivain inexpérimenté qui ajoutait un charme insouciant aux qualités intellectuelles qui l'avaient attirée vers Vasconcelos et Gómez Carrillo. Néanmoins la proposition d'Antoine exigeait un temps de réflexion et elle promit de lui donner sa réponse en France où ils devaient se rejoindre quelques mois plus tard, ralentissant ainsi, mais sans l'arrêter, la marche vers l'inévitable.

Beaucoup plus tard, elle résuma ce que lui coûta son « oui » à Antoine, avec cette phrase lapidaire : « Être l'épouse d'un pilote fut un sacrifice. Être celle d'un écrivain fut un vrai martyre. »

Les jours les plus beaux

Jusqu'à ce jour, on a surtout mis l'accent sur ce qui opposait Consuelo et Antoine, au point d'oublier leurs atouts personnels, complémentaires, qui favorisaient la réalisation de leurs propres aspirations. Consuelo bénéficiait d'une aisance matérielle avec des biens personnels et un bagage intellectuel acquis auprès d'écrivains expérimentés qu'elle mit à la disposition d'Antoine. Elle apportait aussi la touche d'exotisme libérateur qui le captiva dans sa quête de «non-conformisme». Pour Consuelo, une union avec Antoine représentait des avantages facilement définissables avec la promesse d'une nouvelle entrée légitime dans le monde littéraire qu'elle affectionnait, notamment par l'intermédiaire des amis de Saint-Exupéry, écrivains confirmés de l'écurie Gallimard tels que Gide, Drieu la Rochelle et Henri Bordeaux. Encore plus important pour la réalisation de son rêve d'enfant, Antoine, comte de Saint-Exupéry, lui offrait une promotion sociale et une clé pour son entrée dans l'aristocratie française.

Le temps pour se découvrir mutuellement ne dura que sept mois, quoique avec un long intervalle de solitude pour réfléchir aux conséquences d'un engagement. Dès son retour en Europe, Consuelo s'immergea de nouveau dans une vie parisienne intense et, éprouvant quelques doutes sur la sagesse d'un troisième mariage, informa une amie russe, l'actrice Xénia Kouprine, de la rupture de ses fiançailles. Par la suite, elle précisa même que son fiancé était mort. Entre-temps elle renouait ses liens d'amitié avec Vasconcelos revenu à Paris après, cette fois-ci, un revers aux élections présidentielles et sur le point d'abandonner ses principes démocratiques pour des théories fascistes. La blessure portée à son orgueil par la désertion de Consuelo l'empêcha de reprendre leur aventure amoureuse, mais il s'intéressa suffisamment à son avenir pour lui conseiller de ne pas se précipiter dans les bras d'un autre mari, une recommandation sans doute dictée par la jalousie et dont elle n'eut cure. En se remémorant le plaisir procuré par la présence attentionnée d'Antoine à Buenos Aires, elle n'hésita pas une seconde à quitter immédiatement Paris quand il l'invita à le rejoindre dans le port espagnol d'Almeria, où il débarqua d'Argentine en janvier 1931.

En dépit de son apparente fougue, Saint-Exupéry considéra lui aussi avec prudence la possibilité d'un mariage. Sa mère, Marie, était arrivée en Amérique du Sud au moment même ou Consuelo quittait l'Argentine, la manquant de peu pour faire sa connaissance. Pendant les semaines qui suivirent, puis sur le paquebot qui les ramenait en Europe, mère et fils discutèrent longuement de son avenir et il écouta attentivement le jugement de la personne à qui il vouait la plus grande admiration. Marie fut littéralement conquise par l'enthousiasme d'Antoine et par l'image qu'il projeta de Consuelo, de sa vitalité, de sa profonde piété et de son talent de critique littéraire développé au contact du génial Gómez Carrillo. Marie ne pouvait résister à la volonté de son Tonio et donna sa bénédiction à un éventuel mariage comme elle l'avait fait dix ans plus tôt pour les leçons de pilotage qui pourtant lui inspiraient de la terreur.

À Buenos Aires, si les deux futurs époux s'apprécièrent, ils ne passèrent pas suffisamment de temps ensemble pour deviner les problèmes que causerait la disparité de leurs milieux et de leurs expériences. Consuelo reconnut être «tombée amoureuse» seulement après leurs retrouvailles et une nuit passée ensemble, en Espagne, avant leur retour à Paris. Rue de Castellane, elle présenta cérémonieusement Antoine au masque mortuaire de Gómez

Carrillo, modelé par elle-même, un objet aux pouvoirs étranges qui, selon sa créatrice, émettait des bruits en présence d'un prétendant qu'il désapprouvait. L'on suppose que le masque ne manifesta aucune animosité, car quelques jours plus tard le couple prenait la direction de Nice à bord de la petite voiture de Gómez Carrillo.

Après le « petit musée » de la rue de Castellane, Saint-Exupéry passa d'une surprise à l'autre en découvrant l'opulence d'El Mirador, un palais comparé à l'austérité de son château de Saint-Maurice-de-Rémens, et il demanda avec humilité s'il pouvait emménager dans la villa pour terminer *Vol de nuit*. Il suggéra même d'occuper une chambre de service pour ne pas compromettre la réputation de sa fiancée, une proposition à laquelle elle répondit en acceptant le mariage, mais à la condition préalable que Maeterlinck approuve son « Tonio ». L'écrivain misanthrope, dont on disait qu'il dormait avec une mitraillette à portée de main, tomba sous le charme de Saint-Ex et l'emmena dans sa cave déguster une bouteille tout en l'écoutant disséquer l'intrigue de son roman. Consuelo raconta qu'ils remontèrent après « plusieurs bouteilles » et que le vieil homme était devenu un partisan enthousiaste de leur projet. « Si tu n'épouses pas ce garçon tu es folle, lui dit-il sur un ton paternel. C'est un homme, et il deviendra le plus grand écrivain français. »

En plus de l'amour, elle se retrouvait avec l'enivrante promesse d'accomplir ses désirs les plus fous. Elle venait d'entendre la confirmation par la bouche d'un grand de la littérature que son « Tonio » était fait de l'étoffe des génies, qu'il possédait le potentiel qui le conduirait à construire son propre El Mirador, Orlamonde ou Vittoriale, et même, pourquoi pas, se lancer dans la politique et devenir un membre du gouvernement, un « ministrou » à la manière de Vasconcelos.

Dans l'euphorie causée par l'aval de Maeterlinck, Consuelo et Célisette arrivèrent à le persuader de sortir de sa retraite pour les accompagner avec Antoine à Peira-Cava, au-dessus de Nice, où la vue des deux hommes foulant la neige dans une conversation animée amusa beaucoup les jeunes femmes. C'est à ce moment, confia Consuelo à son compatriote Francisco Mena Guerrero, qu'elle comprit que son destin était inextricablement lié à celui de cet « aviateur fou qui venait de perdre son emploi à Aeroposta, riche de rien, sinon de mon amour, d'un livre publié et d'un autre à terminer ».

Malgré l'attitude réprobatrice de la famile catholique d'Antoine, les amants s'installèrent à la villa de Cimiez pour une expérience que Consuelo décrivit comme « les jours les plus beaux et les plus insensés de notre vie ». Avec une ferveur fébrile, Saint-Exupéry travailla des jours d'affilée sur son livre, avec la présence apaisante de l'être aimé toujours disponible quand l'envie lui prenait de manger ou de lui lire des passages de son manuscrit. Une habitude contractée dans sa jeune enfance lorsqu'il ressentait le besoin impérieux d'être rassuré sur sa page d'écriture et appelait d'urgence ses sœurs et sa mère, quelquefois au milieu de la nuit, pour « la corvée du roman », ce qui signifiait écouter et donner son avis.

L'influence de Consuelo sur la structure du livre est matière à spéculation, mais compte tenu du contexte de la création de l'ouvrage l'on peut penser qu'elle fut réelle tant sur le style que sur le contenu. De tous les livres de Saint-Exupéry, *Vol de nuit* est le mieux construit, bien qu'il ait été écrit en un délai record pour l'auteur, habituellement lent car toujours insatisfait de sa prose qu'il remaniait sans cesse. En tenant compte du temps qu'il consacra à ses visites au château d'Agay, près de Saint-Raphaël, la résidence de sa sœur Gabrielle, et aux échanges de courtoisie avec les Maeterlinck, il termina son roman en moins de huit semaines, épurant les quatre cents pages du manuscrit initial pour n'en conserver qu'un tiers, d'un style beaucoup plus ramassé.

Consuelo ne revendiqua jamais un quelconque crédit pour son soutien moral et matériel et ses critiques éclairées. Il est possible que sa plus importante contribution fut d'éveiller chez l'écrivain une véritable certitude de son talent et le désir d'impressionner celle qu'il chérissait. Des années plus tard, le doute sur la qualité de son style allait le conduire à agoniser sur des articles de routine au point de détruire son travail juste avant sa publication de crainte d'être confronté à des critiques.

La présence du prolifique Gómez Carrillo, presque tangible dans la bibliothèque du disparu, le poussa peut-être à se surpasser en dépit des intrusions fréquentes de sa mère qui séjournait à Agay, et qui s'inquiétait pour l'âme de son fils « vivant dans le péché ». Il la rassura sur ses intentions envers Consuelo en lui laissant toute latitude pour fixer la date de leur mariage religieux qui fut décidé pour le 12 avril 1931 en la chapelle privée du château d'Agay s'ouvrant sur la mer.

Pour une étrange raison à laquelle elle ne donna jamais d'explication satisfaisante, la mariée était en noir pour le seul de ses trois mariages consacré religieusement. Sa nièce, Mireille Dimas, qui vit dans la maison familiale d'Armenia, pense que Consuelo opta pour une tenue de deuil pour convaincre l'entourage d'Antoine de son veuvage, car même la famille d'El Salvador ne vit jamais d'acte authentifiant son mariage avec Gómez Carrillo. La robe sombre ajoute une touche de tristesse à la solennité des photographies prises dans le parc de la propriété, encore accentuée par la difficulté de Consuelo à sourire devant un appareil photo. Il est possible aussi qu'à ce moment le couple ait commençé à entrevoir les difficultés à venir. Consuelo se savait tolérée mais pas vraiment acceptée par un milieu respectueux des traditions qui avait espéré pour Antoine une union avec une jeune fille partageant les mêmes valeurs, la même éducation, riche d'un nom et aussi d'une fortune.

Il restait à la nouvelle épouse à connaître le château de Saint-Maurice-de-Rémens, mais déjà elle sentait s'estomper ses illusions de richesse pour elle, et de succès pour Antoine. Après des années périlleuses à l'Aéropostale et Aeroposta Argentina, quand il adressait une bonne partie de son salaire à sa mère pour l'entretien sommaire d'une propriété au-dessus de leurs moyens, ses biens se limitaient à un manuscrit. Il apparut évident à la jeune femme qu'Antoine ne pourrait lui assurer le train de vie auquel l'avait habituée Gómez Carrillo, mais elle ne montra aucune velléité de réduire ses dépenses auxquelles s'ajoutaient maintenant celles de Saint-Exupéry. Au rythme de leurs extravagances, l'héritage de Gómez Carrillo allait fondre à vue d'œil.

De son côté, Antoine se rendit sans doute compte qu'il connaissait peu de chose de sa femme, particulièrement lorsque des proches commencèrent à colporter des rumeurs de libertinage, immédiatement exploitées, « pour son bien », par de soi-disant amis, dans l'intention de détruire son mariage. S'il commença à soupçonner quelques bribes du passé de Consuelo, il ne souhaita pas échapper à la fascination romantique qui l'attirait vers cette femme enfant de trente ans qu'il contemplait comme un être éthéré et magique.

Les ennemis de Consuelo alléguèrent qu'elle avait eu recours à des ruses malhonnêtes pour piéger un aristocrate dans ses filets et que seule la naïveté d'Antoine empêcha celui-ci de comprendre qu'il se trouvait face à une force diabolique. Mais en définitive, Consuelo fut l'œuvre d'Antoine, le résultat de sa soif de merveilleux, qui le poussa, au début et à la fin de leur vie commune, à parer cette petite personne exotique et capricieuse de mystère et de magie.

Parfaitement heureuse

Dans le mois qui suivit son mariage, « Tonio » se trouva temporairement réembauché par l'Aéropostale, à la suite de la faillite d'Aeroposta Argentina, et se prépara à reprendre du service sur la ligne du désert, au grand désespoir de sa femme, qui, en plus de l'angoisse de l'imaginer en perpétuel danger, le voyait rompre avec une carrière littéraire. Pour se faire pardonner les tourments qu'il lui infligeait, il lui écrivit dès son arrivée à Toulouse, en termes des plus romantiques, qu'il ne pouvait vivre séparé d'elle.

« Je ne peux plus vivre sans vous. Je viendrai vous chercher. Plume d'or, vous êtes la plus adorable femme du monde – une fée... Il faut être un quetzal [oiseau mexicain], plume d'or, pour vous comprendre bien. Pour s'émerveiller de cette petite âme sauvage... Venez dans

85

ma maison, plume d'or, et remplissez-la de votre merveilleux désordre. Écrivez sur toutes les tables. Elles sont à vous. Et mettez beaucoup de désordre dans mon cœur... Tu m'as dit une fois aussi que tu étais "parfaitement heureuse". Plume d'or, vous le serez plus encore quand nous habiterons Casablanca» [où il espérait qu'elle guérirait de son asthme], «Plume d'or je prends l'engagement de vous rendre heureuse... »

Dans une lettre antérieure, il l'appelle «pimprenelle, mon amie», sa première assimilation de Consuelo à une rose, et la prie de devenir le petit poêle à bois de son enfance – évoqué avec nostalgie dans *Pilote de guerre* – et de ronronner dans sa chambre quand l'hiver le fait frissonner. Beaucoup plus tard, vers la fin de sa vie, ses missives expédiées d'une base militaire en Afrique du Nord commencent souvent par «petite fille» ou «petite fille chérie» et sont signées «votre mari pour la vie». Il est vrai, aussi, qu'il entretint une correspondance intimement affectueuse avec beaucoup d'autres femmes, mais le ton est dépourvu de cette simplicité dont il usa avec son épouse pour exprimer son adoration ou sa détresse s'il la sentait indifférente.

Moins d'un an après leur magnifique lune de miel, Consuelo se sentit submergée par une vague de désillusions. Alors que dans *Courrier Sud* et *Vol de nuit* l'auteur s'attarde sur l'effroi éprouvé par les femmes de pilotes qui attendent anxieusement le retour de leur mari, elle aurait pu espérer plus de considération de la part de Saint-Exupéry pour sa propre inquiétude accentuée par la crainte de ses crises d'asthme. Elle aurait volontiers sacrifié ce qui lui restait de son héritage pour qu'il se consacre à l'écriture et afin de recréer les moments complices de

Cimiez où elle se sentait utile, au lieu de l'existence stérile qu'elle menait à Casablanca, avec comme seule alternative une vie sociale artificielle ou la compagnie des autres femmes de pilotes. Sa grande consolation arrivait par les airs sous la forme de lettres passionnées acheminées par le service régulier du courrier quand Saint-Exupéry croisait des collègues sur les pistes du désert qui devaient souvent retarder leur décollage pour emporter le dernier message d'amour d'Antoine.

Ensemble, ils tentèrent pourtant de reproduire à Casablanca les modes de vie artistique et bohème qui convenaient le mieux à leurs tempéraments, avec, de la part d'Antoine, une attitude dénuée d'intérêt pour l'argent, qui laissa le souvenir amusant dans beaucoup de mémoires d'un pot de chambre contenant son salaire posé en évidence sur la cheminée et dans lequel chacun puisait, domestiques et visiteurs compris, sans rendre de comptes. Mais avec le château de Saint-Maurice-de-Rémens, dont l'entretien se révélait un gouffre, le contenu du pot était déjà sérieusement entamé en début de mois et généralement renfloué avec les deniers de Consuelo.

Celle-ci se demandait combien de temps elle pourrait supporter la torpeur de Casablanca et le snobisme de la communauté française expatriée, quand elle reprit espoir de voir son mari abandonner l'aviation avec l'annonce en décembre 1931 de l'attribution du prix Fémina pour *Vol de nuit*, une récompense littéraire prestigieuse, première confirmation du jugement de Maeterlinck. L'horizon de leur avenir sembla s'éclaircir, le temps que Saint-Exupéry passa en France pour recevoir sa distinction, ce qui permit à sa femme de présager qu'il envisagerait une carrière plus intellectuelle. Mais l'ascension littéraire d'Antoine se

87

trouva brutalement interrompue par la réaction de ses collègues de l'Aéropostale qui se considérèrent trahis par l'un des leurs en se reconnaissant dans les personnages du roman. Peiné par leurs critiques qu'il jugea injustifiées, quand il ne pensait qu'à glorifier leur héroïsme, il décida de ne plus écrire de roman. Une résolution qui le priva du matériau indispensable pour la trame de ses ouvrages pendant sa longue période improductive de 1931 à 1939, mis à part un scénario de film et de nombreux articles de presse utilisés plus tard pour la construction de *Terre des hommes.*

La situation financière de Saint-Exupéry se détériora davantage avec le scandale financier qui précipita la fusion d'Aéropostale avec d'autres lignes pour fonder Air France et, avec le redressement économique qui suivit, le vit obligé d'accepter un emploi de copilote sur une navette entre Marseille et Alger. Consuelo ne mesura probablement pas l'intensité de l'humiliation ressentie par un pionnier de l'aviation réputé pour sa bravoure, mais elle constata rapidement la précarité de leur situation matérielle qui amorçait une dégringolade, accélérée par les prélèvements indispensables pour le règlement des factures du château familial. Face à ses circonstances désastreuses, Marie de Saint-Exupéry mit en vente la propriété de Saint-Maurice-de-Rémens en juin 1932 et, avec l'aide de son fils et de Consuelo, emménagea dans un appartement à Cannes.

La nostalgie d'Antoine d'une enfance heureuse à Saint-Maurice avec son frère et ses trois sœurs resurgit dans tous ses ouvrages et sa détresse, doublée de la culpabilité de n'avoir pu empêcher cette faillite, fut immense lors de la vente du château à la ville de Lyon pour sa transformation en maison de colonie de vacances. Pour Consuelo, avec le patrimoine d'Antoine s'envolaient les derniers vestiges d'une image esquissée à Buenos Aires en écoutant son futur mari décrire la vie d'un aristocrate provincial se promenant sur ses terres, salué avec déférence par les paysans du village, exactement comme à Armenia, qui ôtaient leur chapeau avec humilité, avec « Monsieur le comte » en plus.

Le statut de châtelain entraînait certains devoirs dont elle avait eu un aperçu l'année de son mariage, pendant les fêtes de Noël. Habillé en Père Noël, Antoine avait procédé à la distribution de cadeaux aux enfants du village, alors que sa mère dirigeait la chorale paroissiale dans l'église où la famille prenait place au premier rang sur des sièges rembourrés et réservés. Elle avait apprécié le sentiment de permanence qui émanait de la salle à manger du château, meublée d'un vaisselier et d'une table massifs à l'apparence indestructible, et de la chapelle, à laquelle on accédait par une porte dérobée, au sol décoré de fleurs de lys en hommage à une monarchie à jamais révolue. Les démonstrations de respect des domestiques et des villageois à « Madame la comtesse » ne pouvaient laisser deviner qu'il s'agissait là de manifestations de soumission à une classe sociale en voie de disparition, et, avec elle, la stabilité qu'elle représentait depuis des générations.

À la liquidation rapide de Saint-Maurice s'ajouta l'affront d'une vente publique du mobilier du domaine, à l'exception de celui de la salle à manger, dans la rue principale du village. Pendant deux dimanches d'été, acheteurs et curieux marchandèrent meubles et effets personnels, lits, fauteuils, horloges, casseroles, jouets, alignés sur des centaines de mètres. Consuelo affecta un air de détachement en assistant à la dispersion de ce qui aurait dû devenir ses biens avec le titre de châtelaine et défia à sa manière le qu'en-dira-t-on bourgeois et les ragots locaux.

Des années plus tard, Marcelle Lefin, la fille du propriétaire de l'unique troquet de Saint-Maurice, se souvenait avec précision de l'entrée très remarquée de Consuelo dans le café, vêtue de pantalons et arborant un fume-cigarette. À la stupéfaction de la clientèle essentiellement masculine, elle commanda un pastis qu'elle but lentement, debout au bar, en feuilletant un journal, « exactement comme un ouvrier du bourg ».

Pensa-t-elle après les enchères de Saint-Maurice que leur situation ne pouvait pas empirer ? Auquel cas elle se trompait. À peine un an plus tard, Saint-Exupéry manquait de se noyer et perdait son emploi de pilote. Le déclin continua impitoyablement. En 1934, le comte et la comtesse de Saint-Exupéry ne pouvaient plus assumer le paiement de leur facture de gaz ni acheter la nourriture du pékinois de Consuelo.

Banquets, vernissages, soupers, cocktails

Dans un autre environnement où rien n'aurait rappelé la réussite d'un précédent mari, il est possible que le mariage d'Antoine et de Consuelo ait résisté plus longtemps aux dissensions qui se multipliaient dans le couple.

Mais Saint-Exupéry poussa son « non-conformisme » à l'extrême en s'installant dans l'appartement de Gómez Carrillo, rue de Castellane, imperturbable devant le masque austère mais silencieux de l'ancien occupant.

Après le décès de son mari, Consuelo s'était retrouvée bien pourvue matériellement, mais elle voyait son pécule disparaître aussi rapidement que les gains qu'Antoine tirait de ses écrits. Avec un emploi à temps partiel, il trouvait un exutoire à son agitation et ses frustrations dans la conduite effrénée d'une Bugatti sport, trop chère à entretenir et à réparer. Bien après la guerre, au cours d'une émission avec Jacques Chancel, Consuelo commenta ainsi la prodigalité de son mari : « L'argent lui brûlait les poches. »

Une absence totale de modération dans leurs dépenses fut à l'origine de leurs plus sérieuses querelles et finalement scella la dépendance financière d'Antoine envers Nelly de Vogüé. Celle-ci lui prêta même l'argent d'un billet de train pour aller rendre visite à Consuelo, à Dijon, où elle était hospitalisée à la suite d'un accident de voiture. Deux années auparavant, en revenant de Nice, elle avait provoqué une collision qui entraîna la vente d'El Mirador quand elle fut contrainte de payer d'importants dommages et intérêts.

Pendant des mois, quand les revenus d'Antoine suffisaient à peine à l'achat de ses cigarettes, il trouva tout naturel de vivre sur la tirelire de sa femme, mais ne put décemment se plaindre lorsque ses vieilles connaissances du cercle latino-américain débarquaient pour de bruyantes veillées. Il parvint à ne plus savoir s'il préférait la voir disparaître toute une nuit, courant d'une soirée à l'autre, ou entendre son incessant babillage dans le flot assourdissant des bavardages en espagnol.

« Si vous n'êtes pas là, je ne peux pas penser, et si vous parlez je ne peux pas écrire », nota-t-il sur une page de cahier quand il lui arriva de ne plus supporter « son merveilleux désordre ». Quelquefois, il laissait fuser des reproches, aussitôt suivis par les plus tendres excuses. Tout au long de sa vie il data rarement ses lettres et ce n'est que par leur contexte que l'on peut les situer dans le temps. L'extrait ci-après exprime bien son exaspération, à cette période, quand Consuelo menait une vie nocturne débridée :

«Vous ne donnez jamais ce dont j'ai soif. Banquets, vernissages, soupers, cocktails... Vous êtes une dame à banquets, vernissages, soupers, cocktails. Ne feriez-vous pas mieux d'être un peu plus à la maison? Il n'y a donc pas l'ombre d'un espoir?» Expression de ses griefs qu'il laissa en évidence pour Consuelo avant de partir faire la tournée de ses amis dans sa Bugatti cabossée, en continuant :

«J'ai tellement faim d'être aidé. L'aide de la femme. Ç'aurait été hier, ce matin, ce soir de me faire dîner. De me verser une tasse de thé. De poser une main sur mon front. Lorsque je serai mort vous saurez ce que vous perdez. Vous me faites haïr la vie. »

En restant rue de Castellane où mourut Gómez Carrillo, il accepta de vivre entouré de souvenirs propres à éveiller des soupçons sur le passé extravagant de sa femme. Sur l'image qu'il commença d'entrevoir de la vraie Consuelo, vint se greffer la triste révélation que le couple n'aurait jamais d'enfant à cause de la stérilité de Consuelo. Un diagnostic établi pendant son adolescence et confirmé par sa nièce, Mireille Dimas, que la famille mettait sur le compte d'une santé déficiente. Le seul enfant du mariage serait le petit prince, et la fascination de Saint-Exupéry pour les petits et leurs jeux innocents se reporta sur ses neveux et nièces.

Même si leur difficulté à vivre ensemble amorça une altération de leurs relations, il semble qu'elle fut moins néfaste au mariage que celle de Consuelo à montrer quelque dévouement à Antoine. Nelly de Vogüé, sans doute la personne qui mesura le mieux ses besoins affectifs, fit quelques remarques astucieuses sur les racines du problème et les raisons pour lesquelles il réclama de plus en plus sa présence.

« Il y avait entre nous ce que l'on peut appeler l'attrait de la langue », dit-elle, faisant allusion aux pauvres notions d'espagnol de Saint-Exupéry, alors que Consuelo ne pouvait donner le meilleur d'elle-même que dans sa langue maternelle. En conséquence elle prêtait peu d'attention aux théories intellectuelles d'un cerveau fécond que Nelly écoutait d'une oreille très intéressée.

Nelly observa également que Consuelo, elle-même constamment à la recherche d'auditeurs, restait insensible aux réclamations de son mari « d'un peu de compassion et de consolation » – ironie quand on sait que Consuelo signifie « consolation ». L'air triste et désorienté qu'affectait Antoine eut pour effet de lui attirer la sympathie de nombreuses femmes toutes prêtes à l'écouter. Il faut rappeler que c'est en versant une larme qu'il obtint un baiser de Consuelo. Une admiratrice lui écrivit même des États-Unis qu'elle l'aimait parce qu'il savait souffrir.

Avec la vente forcée de la villa de Nice, l'héritage légué par Carrillo diminuait chaque jour et, en 1934, le couple quitta la rue de Castellane, trop bruyante au goût d'Antoine à cause de la proximité des grands magasins, pour un minuscule quatre-pièces rue de Chanaleilles. Mais le déménagement dans « une cage à mouche » – selon la description de l'écrivain Henri Jeanson – résultait d'un vœu pieux que l'air de la rive gauche résoudrait leurs problèmes de façon providentielle. En définitive, ils s'acheminèrent lentement vers l'inévitable crise dans un mariage libre. Nelly de Vogüé apparaissait maintenant comme un élément stable dans la vie d'Antoine, prête à le sauver de la gêne et de la déprime à toute heure du jour et de la nuit, alors que la réputation de Consuelo sombrait dans le ridicule.

Un journaliste, Michel Georges-Michel, encouragé par les ennemis de la femme de Saint-Exupéry, publia un roman intitulé *Le Baiser à Consuelo*, dont le personnage principal, Consuelo de Hautebrive, ressemble de très près à l'épouse d'Antoine. L'idylle, inspirée par des rumeurs de sa liaison avec un correspondant de la presse allemande, se passe pendant des vacances en Espagne. Avide et hystérique, Consuelo de Hautebrive ne se satisfait pas de son démoniaque pouvoir de séduction, elle aime aussi faire et voir souffrir. Le portrait malveillant du mari, un pilote sur la ligne du courrier d'Afrique, dépeint comme un être faible et naïf, ajouta certainement beaucoup à la peine de Saint-Exupéry car il ne pensa jamais que Consuelo cherchait à le railler. Comme il l'écrivit des années plus tard, il voyait en elle un éternel tourment, mais pour des motifs « qui, même faux, ne sont ni futiles, ni mesquins, ni bas ».

CHAPITRE V

Nelly

Même si Consuelo eut sa part de responsabilité dans la désagrégation de son mariage, elle eut aussi des raisons de s'en plaindre. Son mari était loin de réaliser la prédiction de Maeterlinck d'atteindre le statut de meilleur écrivain de France. L'espoir de le voir un jour construire son El Mirador s'était évaporé aussi vite que son compte en banque. En 1934, après l'enthousiasme ressenti à la lecture du manuscrit de *Vol de nuit*, la contribution littéraire de Saint-Exupéry se réduisait au scénario médiocre d'un film, *Anne-Marie*, une réalisation tellement insignifiante que son admiratrice, Nelly de Vogüé, évita de la mentionner dans sa biographie laudative de l'écrivain.

Ses activités professionnelles se cantonnaient dans le milieu de l'aviation au rôle de conférencier pour Air France qui l'appelait à s'absenter des jours ou des semaines aux commandes de son propre avion. Cet emploi du temps laissait peu d'occasions au couple de se réconcilier. Antoine préférait toujours travailler à ses écrits le soir et dormir le matin, rendant impossible toute vie sociale normale et partagée. Aggravant leur situation conjugale déjà complexe, chacun obéissait à des pulsions d'indépendance, au point de quitter soudainement la capitale, dans le cas de Consuelo sans même donner la moindre indication d'une destination. Il arrivait qu'Antoine se rende à un dîner chez des amis en annonçant qu'il avait perdu sa « sorcière ». Une fois, il s'inquiéta de son absence pendant des jours, téléphonant tous azimuts jusqu'à ce qu'un télégramme lui parvienne d'une station alpine : « N'entendez-vous pas les grelots de votre agneau ? »

À l'inverse de Gómez Carrillo et Vasconcelos qui la choyaient comme un petit être précieux et fragile, Antoine ne sembla pas attacher une grande importance aux effets de son asthme chronique dont elle redoutait constamment une crise qui la suffoquait et lui donnait l'impression de mourir. Depuis l'enfance, quand son père essayait de la guérir avec des potions à base de plantes, elle avait suivi en vain différents traitements. Sa peur de rester seule, particulièrement la nuit quand les attaques pouvaient se produire après le premier sommeil, explique en partie sa recherche constante de compagnie. Avec l'âge, les crises empirèrent au point qu'il lui arriva de tituber et de s'écrouler en public. Des manifestations tellement assimilables à celle de l'ivresse qu'elles fournirent une raison de plus à ses ennemis de la calomnier.

Antoine, un hypocondriaque notoire, accorda juste suffisamment d'attention aux difficultés respiratoires de Consuelo pour écrire dans *Le Petit Prince* que la rose pourrait se laisser mourir, mais sur un ton qui laisse supposer qu'il ne s'agit de sa part que de comédie pour culpabiliser son compagnon. En 1942, dans un billet à un médecin new-yorkais, il tourna même en dérision les symptômes de Consuelo en écrivant que son épouse n'était pas malade « mais souhaitait, comme toutes les femmes, que nous, les hommes, nous préoccupions en permanence de leur santé ».

Consuelo en 1931, l'année de son mariage avec Antoine de Saint-Exupéry.

Consuelo et Antoine en 1935.

*Consuelo et Antoine au
début des années trente.*

Consuelo et Madeleine Goisot, chez Lipp,
pour fêter l'arrivée de Saint-Exupéry
au Caire, après son accident dans le désert
avec son Simoun.

Portrait de Consuelo dans les années
trente, par Desmond.

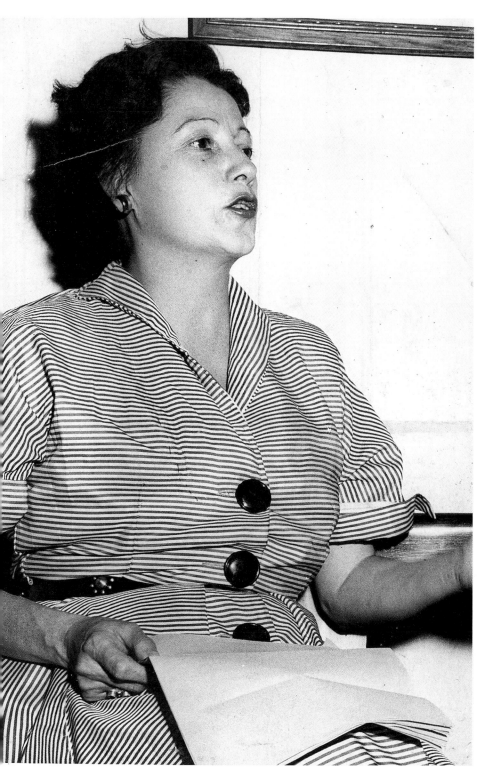

Consuelo pendant une conférence, en 1952.

Consuelo à Divonne-les-Bains, en août 1959.

Consuelo signant un livre d'or lors d'une exposition de ses œuvres.

Consuelo et un ami, Francisco Mena Guerrero, en 1977.

Il est possible qu'elle feignit quelquefois des crises pour arriver à ses fins, mais il est sans doute vrai, également, que les conséquences physiologiques hormonales et psychologiques de l'asthme restaient méconnues à l'époque. Les ouvrages médicaux actuels soulignent que les troubles endocriniens causés par la maladie entraînent, particulièrement chez les femmes, une grande émotivité et des désordres nerveux. Psychiatres et spécialistes expliquent l'hypersensibilité et la grande excitabilité des asthmatiques – diagnostic qui s'adapte parfaitement à Consuelo – comme la somatisation d'un « conflit de frustrations ».

Consuelo ne manquait pas de raisons d'être frustrée. Les tentatives d'éveiller la jalousie chez Antoine, dont la recette avait fait merveille dans la rivalité entre Carrillo et Vasconcelos, ne suffirent pas à persuader Saint-Exupéry d'abandonner l'aviation et la compagnie de Nelly de Vogüé. La présence de celle-ci dans la vie de l'écrivain avait pris de plus en plus d'importance à partir de 1935, l'année où Antoine et Consuelo durent quitter l'appartement de la rue de Chanaleilles pour se refugier à l'hôtel, à cause d'arriérés de loyer et des menaces de saisie de leur mobilier.

Après la mort de Saint-Exupéry, Nelly – un surnom donné par sa nurse irlandaise – passa une grande partie de son temps à orienter les biographes de l'aviateur sur de fausses pistes par des moyens insolites, le premier étant son pseudonyme, Pierre Chevrier. Pour la signature de romans, elle utilisa le nom de plume d'Hélène Froment qui conduisit à une interview bizarre, publiée dans *Icare*, où « Froment s'entretient avec Chevrier » sur le talent de prestidigitateur de Saint-Exupéry. La mystification devint presque son fonds de commerce avec la publication de la correspondance d'Antoine sous le titre *Lettres à X*. Elle n'hésita pas à faire référence à des propos non corroborés selon lesquels « il refusait l'aspect suffocant du couple » et « rejetait les droits de propriété qu'un individu impose sur un autre ».

Derrière la divulgation de telles affirmations se cache l'implicite reconnaissance que, malgré sa force de caractère et l'inestimable soutien intellectuel et financier qu'elle apporta à Saint-Exupéry, elle ne réussit jamais à « l'apprivoiser ». Elle fut avant tout, pour lui, l'antidote réaliste et constant à la frêle et versatile Consuelo. Grande, élégante et bien éduquée, Nelly avait été élevée par un père industriel, Maximilien Jaunez, né en 1873 en Moselle, à Valmunster, du temps de l'annexion allemande.

Une dot très importante la fit entrer, par un mariage de raison, à l'âge de vingt ans, dans le clan de Vogüé, l'une des plus riches et plus vieilles familles de la noblesse française. Dotée d'un sens aigu des affaires hérité de son père, elle s'ingénia, après son mariage avec Jean de Vogüé, un commandant de la Royale, à développer un nombre impressionnant de contacts politiques autant que commerciaux. Après la naissance d'un fils, les deux époux continuèrent leurs carrières respectives et, en 1935, elle défia la société bien-pensante en devenant d'une manière quasi officielle la seconde compagne de Saint-Exupéry.

À ce moment, elle avait fait son propre chemin dans l'industrie de la faïence à Sarreguemines et se préparait à ouvrir, en association avec René de Chambrun (le gendre de Pierre Laval) et Henri Claudel (le fils de l'écrivain), un comptoir aux États-Unis pour la promotion des produits français. Elle avait rencontré Saint-Exupéry en 1929 dans le cercle d'amis fortunés qui gravitaient autour de Louise de Vilmorin, la première fiancée d'Antoine, et de sa cousine, Yvonne de Lestrange. Pour Nelly, jeune mariée à l'époque, Saint-Exupéry ne représentait qu'une agréable connaissance, un amateur de poésie que tout le monde savait terriblement entiché de Louise.

Sa première apparition publique aux côtés d'Antoine eut lieu à un dîner donné par le baron de la presse, Pierre Lazareff, qu'elle avait persuadé de proposer un contrat à Saint-Exupéry pour la rédaction d'articles destinés à *Paris-Soir*. Inévitablement, leur amitié engendra des spéculations sur l'origine des fonds qui permirent à Antoine l'achat du Caudron Simoun acquis en décembre 1935, à un moment où il fuyait les huissiers, pour tenter de battre le record Paris-Saigon et empocher le prix remis au vainqueur.

Le terrible accident qui suivit, dans le désert de Libye, le rendit plus célèbre que ses exploits aériens et littéraires antérieurs et lui inspira l'un des plus captivants chapitres de *Terre des hommes*. Mais la tentative de record Paris-Saigon fut à l'origine d'une aggravation de sa mésentente avec sa femme. Antoine ne tint pas compte des récriminations de Consuelo qui s'opposait à ce voyage insensé. Lors de son accident en hydravion dans la baie de Saint-Raphaël, deux ans plus tôt, quand il faillit mourir noyé, elle était restée assise près de son lit d'hôpital, écoutant, l'angoisse au ventre, les détails du crash et le récit de la sensation plutôt plaisante qu'il avait connue à l'idée de mourir.

En quinze ans de missions aériennes, il avait survécu à plusieurs accidents causés par sa distraction ou des préparatifs de voyages bâclés. Le peu d'implication personnelle qu'il mit dans l'organisation du Paris-Saigon fut une confirmation pour Consuelo de l'indifférence d'Antoine à la vie. Il s'agissait en effet du vol le plus long qu'il avait jusqu'ici entrepris, plus de dix mille kilomètres en quatre-vingt-dix-neuf heures avec seulement le mécanicien, André Prévot, comme gardien de son éveil aux commandes.

Il se lança dans cette expédition en donnant l'impression de se moquer d'arriver à destination ou pas. Selon les propres mots de Saint-Exupéry, l'avion permettait de « quitter les villes et leurs comptables, et l'on retrouve une vérité paysanne ».

Jean Lucas, un vétéran de l'Aéropostale appelé à la dernière minute pour une élaboration minutieuse du plan de vol, suspecta que le principal motif d'Antoine en se lançant dans cette tentative de record était de fuir ses ennuis parisiens, en ajoutant : « En Afrique, j'ai toujours vu Antoine détendu, heureux, sans souci. À Paris il n'était plus le même. Il continuait d'éclater de rire comme un enfant, mais il était toujours traqué par des ennuis de toutes sortes. »

Autour de Noël, un comité avait décidé d'installer le quartier général des opérations à l'hôtel Pont-Royal où le couple s'était réfugié. Bientôt un incessant défilé de visiteurs empêcha le bon déroulement des préparatifs et força Lucas à s'isoler dans la chambre de Consuelo pour se concentrer sur un travail compliqué. Sa solitude dura peu avec l'entrée bruyante de la jeune femme à laquelle il dut finalement administrer une fessée pour faire cesser son bavardage. Pendant ce temps, Antoine célébrait son imminent départ en trinquant avec d'innombrables amis, dont Joseph Kessel et Gaston Gallimard venus lui souhaiter bonne chance, avant de prendre quelques heures de repos dans la chambre de Consuelo. Le matin du départ, il oublia les deux grands thermos d'un café corsé qui devait le tenir éveillé et, sur le chemin de l'aéroport du Bourget, s'arrêta dans une pharmacie pour en acheter deux autres qu'il fit remplir dans un bar.

Parce qu'il avait choisi de laisser l'encombrant poste émetteur pour prendre plus de carburant, Saint-Exupéry ne put demander du secours après son plongeon dans le Sahara, à seulement 3 700 kilomètres du départ. De toute façon, il aurait été incapable de donner sa position, puisqu'il se trouvait en dehors de sa route et pensait avoir franchi le Nil, encore à plusieurs centaines de kilomètres.

À partir du 31 décembre, date prévue pour l'arrivée à Saigon, l'hôtel Pont-Royal se transforma en cellule de crise où défila une foule avide de nouvelles. Pendant deux jours, l'angoisse ne cessa d'augmenter tandis que Saint-Exupéry et Prévot déambulaient dans le désert, perdus et à bout de forces, avant d'être sauvés *in extremis* par des Bédouins.

À Paris, la mère d'Antoine avait rejoint sa belle-fille et priait pour la vie de son fils. Mais Consuelo trouva son plus grand réconfort dans la présence de son amie et confidente, Madeleine Goisot, de sept ans sa cadette. Elles s'étaient rencontrées en 1932 dans une petite maison d'édition du Marais, La Connaissance. Le propriétaire, René-Louis Doyon, avait acquis une certaine réputation avec la publication d'une revue littéraire d'un petit format, *Le Livret du Mandarin*, et n'hésitait pas à user de son influence pour aider de jeunes écrivains, comme ce fut le cas pour André Malraux. Madeleine Goisot, une amie de Le Corbusier, côtoyait un milieu artistique avec un frère peintre et un beau-frère architecte, lauréat du prix de Rome. Elle-même, courtier d'art dotée d'un solide bon

Dessin de Consuelo donné à Madeleine Goisot (détail)
«Tonio» et Consuelo (en haut).

sens, elle encouragea Consuelo à prendre des cours de peinture. En 1948, c'est elle qui organisa à la galerie Breteau la première exposition parisienne des toiles de son amie, peintes aux États-Unis. Les deux jeunes femmes se voyaient fréquemment et, pendant la période de turbulences dans le couple, Consuelo put compter sur la discrétion de Madeleine, mais selon celle-ci leur amitié était regardée avec suspicion.

« Je considérais Consuelo comme une sœur, mais devant la famille ou les amis de son mari, nous évitions de nous tutoyer car cela aurait été mal interprété », dit-elle en montrant une photo où elle est assise près de Consuelo pendant la longue attente au Pont-Royal. Pendant ces deux jours, elles firent ensemble de petites sorties pour échapper à l'atmosphère angoissante de l'hôtel, une fois chez une cartomancienne, une autre fois à l'église de Notre-Dame-des-Champs pour faire brûler un cierge devant l'autel de la Vierge. Madeleine Goisot se souvient des paroles empreintes de conviction que prononça Consuelo en sortant de l'église : « Il est sauvé. Je le sais, la Vierge me l'a dit. »

Le 2 janvier 1936, à minuit, à l'hôtel Pont-Royal, quand un message de l'ambassadeur de France au Caire annonça le sauvetage de Saint-Exupéry et Prévot, Consuelo poussa un cri et perdit momentanément connaissance avant d'entraîner le groupe à la brasserie Lipp pour célébrer la bonne nouvelle, où elle surprit tout le monde en commandant de grandes chopes de bière en portant des toasts à la santé de « Tonio ».

Dans les jours qui suivirent, elle eut plusieurs fois l'occasion de parler avec son mari au téléphone. Il se remettait bien et lui expliqua qu'il voulait retourner sur les lieux de l'accident et accomplir les formalités nécessaires

103

pour le rapatriement de l'épave. Consuelo attendit son retour au Caire avant de se décider à le rejoindre dans la capitale égyptienne.

«À son arrivée à l'hôtel Continental, elle dut éprouver la plus grande déception de sa vie, confia Madeleine Goisot. Au lieu de trouver Antoine se languissant de la présence de sa femme, elle le découvrit choyé par la sollicitude de Nelly, ce qui explique peut-être son absence des veillées au Pont-Royal», ajouta-t-elle.

En plein désarroi, Consuelo quitta précipitamment l'hôtel du Caire et, par hasard, rencontra un écrivain de ses connaissances. Elle confessa sa détresse à cette oreille compréhensive puis disparut pendant plusieurs jours. Inquiet pour le sort de sa femme, Saint-Exupéry décida d'avancer son retour en France en laissant Prévot sur place pour compléter les dernières formalités. Quand le Kawsar arriva à Marseille, Consuelo se trouvait au débarcadère parmi la nuée de journalistes venus l'accueillir. Les photos de cet événement la montrent assise sur le pont du navire, près de son mari en train de répondre aux questions de la presse. Visage fermé et mains crispées sur son sac à main, il émane d'elle un sentiment de tristesse peu compatible avec l'euphorie du retour. Si les explications de Saint-Exupéry sur la présence fortuite de Nelly, venue au Caire pour affaires, la convainquirent à moitié, la lecture du récit de l'accident publié sous sa signature dans *L'Intransigeant* la rendit des plus perplexes.

Dans *Wind, Sand and Stars*, la version américaine de *Terre des hommes*, plus longue que la française, il écrit avoir résisté à la tentation de se coucher et d'attendre la mort en pensant au regard de Consuelo. «Je revois les yeux de ma femme. Je ne verrai rien de plus que ces yeux.

Ils interrogent, je réponds. Je réponds de toutes mes forces. Je ne puis jeter dans la nuit de flammes plus rayonnantes. » Pour lui qui savait que « chaque seconde de silence assassine un peu plus ceux qu'on aime », ces yeux étaient un appel au secours.

Il profita du climat sentimental familial provoqué par son accident pour adoucir la jalousie de sa mère envers sa bru, laissant son affection pour Consuelo au deuxième rang, après l'amour maternel.

« Maman, je vous appelais avec un égoïsme de petite chèvre. C'est un peu pour Consuelo que je suis rentré, mais c'est par vous, maman, que l'on rentre », écrit-il juste après son retour.

Cet effort d'Antoine pour rapprocher les deux femmes n'apaisa guère Marie de Saint-Exupéry qui, trois ans plus tard, se plaignit auprès de sa belle-fille d'être privée des lettres d'Antoine en l'accusant d'aliéner sa tendresse filiale dont il était généralement si prodigue. Blâme auquel elle répondit généreusement et avec une compréhension peut-être inspirée par son propre désespoir d'être séparée d'Antoine à cause de l'influence de Nelly :

« Non, maman, vous ne devez pas douter de notre amour. Lui et moi nous vous aimons de tout notre cœur et nous ne méritons pas que vous nous en vouliez. C'est moi qui devrais être triste puisque mes lettres ne vous touchent pas. Depuis que je vous appelle "maman" je vous ai faite la mère de mes sentiments. Et si je suis votre fille, vous ne pouvez m'accuser de vous voler l'affection de Tonio. Ne vous tourmentez pas. Pardonnez-nous, ma petite maman, si nous vous faisons de la peine inconsciemment, et aimez-nous comme vos petits-enfants. »

Un peu comme le Christ

Alors que l'essentiel de la biographie de Saint-Exupéry écrite par de Vogüé est plutôt une défense et illustration de son génie, de son intelligence mais aussi de ses excentricités et de ses caprices, certains passages laissent deviner une évidente intimité entre le biographe et son sujet. Sans aucun doute Saint-Exupéry trouva en Nelly une oreille attentive et indulgente. Son ouvrage abonde en louanges admiratives pour son intellect et sa culture, mais qui malheureusement affectèrent son discernement, au point de publier des confidences qui le font apparaître suffisant et prétentieux. Quelques extraits de ses écrits dans lesquels elle pressentait les qualités d'un génie ne sont en définitive qu'un exercice sémantique et philosophique dont la complexité et le ton biblique n'encouragent pas une seconde lecture. «Tu es un peu comme le Christ quand tu écris ta *Citadelle*», lui dit-elle lors d'une de ses visites en Afrique du Nord, en 1943. À ses yeux, même les défauts d'Antoine prenaient valeur de vertus.

«Cependant lui-même se montre capricieux, soit qu'il s'enfonce dans des méditations silencieuses qui peuvent paraître hostiles ou qu'il se laisse aller à des colères, des bouderies absolument enfantines. De l'enfant il a gardé la fraîcheur des émotions dans les joies comme dans les chagrins.»

Contrairement à Consuelo qui comparait la façon laborieuse d'écrire de Saint-Exupéry et celle, facile et désinvolte, de Gómez Carrillo, Nelly était hypnotisée par l'effort physique fébrile qu'il déployait, «transpirant, coupant, barrant et s'attaquant férocement à certains morceaux de phrases».

106

La biographie écrite par de Vogüé aurait probablement amusé Consuelo sans les semi-révélations intimes publiées en 1949, cinq ans seulement après la disparition d'Antoine, au moment où les deux femmes se disputaient devant la justice son legs littéraire. En plus d'une description très féminine du désordre de la chambre de Saint-Ex, ou des commentaires sur ses caprices alimentaires, Nelly n'hésita pas à laisser entendre qu'elle l'accompagna en avion et en voiture en Allemagne avant la guerre en 1938 et 1939. Saint-Exupéry, qui avait toujours refusé d'apprendre une langue étrangère, apprécia certainement l'allemand courant de sa compagne, qu'elle tenait d'une mère prussienne, très utile pour circonvenir la suspicion des officiels nazis.

Nous ne savons pas si Consuelo devina qui se cachait derrière le pseudonyme Pierre Chevrier, mais elle ne put un instant douter de la provenance des informations, particulièrement des lettres inédites. L'ouvrage abonde en témoignages directs enrichis de détails très personnels des rencontres de Saint-Exupéry dans un Paris occupé, à Vichy, à New York pendant la guerre et plus tard à Alger. Des témoignages qui laissent imaginer le crédit de Nelly auprès de la classe dirigeante de l'époque, puisque son influence lui permettait d'obtenir des visas pour l'étranger quand la majorité des Français ne pouvaient pas franchir la ligne de démarcation. En découvrant ses souvenirs, on comprend qu'elle pouvait ouvrir toutes les portes, pas des moindres, et celle d'Antoine.

La désaffection de son mari causa une immense souffrance à Consuelo, surtout après sa découverte de lettres d'amour de Nelly, et d'une réponse, non postée, de Saint-Exupéry écrivant qu'il était prêt à la suivre jusqu'au bout du monde. Elle y fait allusion de façon douloureusement imagée dans une lettre à son amie Suzanne Werth comme au déchirement d'un « crabe avec les pattes rentrées dans le ventre et dans le cœur ». De 1935 à 1940, quand ils durent partir se cacher, les Werth tinrent pour le couple les rôles d'arbitres et de confesseurs et connurent l'embarrassante situation de ne pas savoir à l'avance qui accompagnerait Antoine à leur appartement de la rue d'Assas, de Consuelo ou de Nelly.

À la fin, ne pouvant supporter plus longtemps la duplicité de cette situation, Consuelo informa Antoine qu'elle allait prendre conseil auprès d'un avocat pour un éventuel divorce. En entendant ses souhaits de légaliser leur séparation, il entra dans une violente colère, répétant qu'il refusait la dissolution du mariage qu'il considérait comme le plus grand des sacrements, la blâmant pour le naufrage de leurs vies.

« Cette vie gâchée c'est vous qui la voulez. Vous la voulez parce que vous préférez me mettre dans mon tort. On ne bâtit le bonheur sur des papiers d'huissiers. Vous préférerez la séparation totale, au don du climat simple, de la fraîcheur dont j'ai besoin. On se moque bien d'avouer les trucs passés, les rouéries, puisqu'on les vomit ! »

La réaction véhémente de son mari sur les liens indéfectibles du mariage n'empêcha pas Consuelo de consulter un avocat, ami du milieu littéraire, Robert Tenger, qui, des années plus tard, fit un compte rendu succinct de leur entretien. Il lui posa trois questions : avait-elle un amant, avait-elle de l'argent, et voulait-elle se remarier ? Recevant un « non » ferme aux trois questions, il lui démontra le non-sens d'un divorce. Elle se dirigea vers un téléphone pour appeler Antoine et il l'entendit annoncer avec force : « Ne t'inquiète pas. Je ne divorce plus. »

Pendant un certain temps, ils firent l'expérience d'une demi-séparation dans un duplex en face de l'hôtel des Invalides où elle put enfin donner libre cours à son talent de sculpteur ; une vocation qui datait de sa relation avec Carrillo quand elle avait exprimé le souhait de prendre des cours pour s'entendre répliquer qu'elle avait passé l'âge des études. Une fois veuve, elle avait trouvé une petite académie qui acceptait des étudiants adultes où elle avait appris les bases du modelage de la terre.

Ce nouveau *modus vivendi* s'accommoda quelque temps de la rivalité de Nelly, mais, deux ans plus tard, Antoine et Consuelo emménageaient dans des logements séparés pour permettre à Saint-Exupéry « de prendre des vacances de mari » et de recevoir « sa mignonne » chez lui.

Le climat de tranquillité auquel aspirait Antoine facilita sa concentration sur les premiers chapitres de *Terre des hommes*. Dans cette préparation, Nelly, femme d'affaires itinérante, lui fut moins utile que son jeune cousin, André de Fonscolombe, qui se plia avec grâce à la « corvée du roman » en vouant une admiration sans limites à son aîné.

Une femme un peu triste

« Nous avons déménagé à l'hôtel Lutétia, écrit Consuelo à Suzanne Werth en 1937. C'est la fin de tout et peut-être le commencement. C'est triste de se sentir vieillir et pas aimée de son compagnon, et puis, les amies de Tonio m'aiment si peu que je serai peut-être plus en paix seule, si je continue à vivre, car je suis malade. »

Dans une autre lettre, elle écrit se sentir perdue sans son Tonio mais prédit que le jour viendra où il pleurera comme elle a pleuré, « parce qu'il préférait le large, les naufrages, les revenants. Moi, je meurs lentement ».

Avec Antoine visitant ses deux compagnes à tour de rôle, quelquefois sortant avec elles séparément le même jour, il était apparemment impossible de savoir laquelle comptait le plus. Ainsi, le soir du 3 mars 1939, il célébrait l'attribution du prix de l'Académie française pour *Terre des hommes* chez Consuelo, avec une quinzaine d'amis dont les Werth, le couple Georges Duhamel et Madeleine Goisot, mais quittait la chaleur de cette réunion pour rejoindre Nelly et ses invités.

Pendant toute cette période de vie triangulaire, Consuelo dut souvent se demander si elle conservait quelque influence sur son mari, particulièrement après son accident presque fatal au Guatemala en février 1938, après une autre tentative manquée de record, cette fois entre New York et la Patagonie, dans un nouveau Simoun. Pressentant un danger, elle l'avait imploré de ne pas se lancer dans cette aventure, pendant que Nelly aplanissait les difficultés en négociant des subventions du gouvernement.

À l'annonce de l'accident, qui se produisit à quelques kilomètres seulement du lieu de naissance de Gómez Carillo, Consuelo se précipita au chevet de son mari et, grâce à sa connaissance de l'espagnol, des mœurs du pays, et surtout à sa pugnacité, elle évita l'amputation de la main droite d'Antoine. Ils profitèrent de la proximité d'El Salvador pour rendre visite à la mère de Consuelo à Armenia, et voir le paysage dominé par Izalco dont elle lui avait tant parlé. À son retour au Guatemala, il retrouva Nelly venue prendre le commandement des opérations et arranger son transfert chez des amis new-yorkais où il put continuer son traitement et travailler à l'élaboration de *Terre des hommes*.

Dès lors, sa vie partagée entre deux femmes allait continuer durant cinq ans. Quelquefois Consuelo monopolisait la tendre considération d'Antoine, puis Nelly débarquait, aussi bien en France qu'aux États-Unis ou en Afrique du Nord, pour organiser sa vie ou le tirer d'une mauvaise passe financière. Cette situation conjugale sidérait ses amis et les plaçait souvent dans une position délicate, jusqu'au jour ou Suzanne Werth, probablement fatiguée de jouer l'arbitre, souleva la question avec Nelly.

Celle-ci formula sa réponse selon une analyse personnelle se résumant ainsi : Antoine traitait Consuelo comme sa fille et elle se conduisait en enfant avec lui. Quant à elle, Nelly, son rôle consistait à le materner et, parce qu'elle l'aimait vraiment, à le réconforter et le nourrir, avant de l'envoyer accomplir son devoir et affronter un monde hostile avec des mots d'encouragement. Elle-même ne s'épargna jamais pour répondre à « son immense besoin de compassion et de consolation ».

Pour étayer la théorie des relations père-enfant, il existe des lettres de Saint-Exupéry à Consuelo qui débordent de remontrances moralisatrices qu'un homme pourrait difficilement envoyer à une amante. À titre d'exemple celle qu'il lui envoya pour lui reprocher une conduite indigne du nom qu'elle porte, lui demandant de se conduire comme une châtelaine en évitant le langage et les réactions d'une fille. Il souhaitait que les gens puissent dire en la voyant : « Oh, combien cette petite Consuelo a changé, comme elle est digne et réservée. » Il la suppliait de ne pas parler de leurs problèmes conjugaux en public. Il terminait sa longue récrimination en s'excusant de souhaiter retrouver l'adorable, discrète et lumineuse petite fille poète, et non la muse bruyante de tavernes pour surréalistes.

111

Le ton des lettres à Nelly, que l'on peut lire dans le recueil *Lettres à X*, se rapproche plus de celui d'un fils consciencieux, quelquefois geignard, faisant au mieux pour impressionner une mère sévère et distante tout en l'assurant qu'il s'investissait totalement dans des études sérieuses malgré une vie difficile. Ce sont des lettres dénuées d'humour avec un brin de fantaisie contrôlée – un écho de *Citadelle*, ouvrage cérébral s'il en est, opposé à la magie du *Petit Prince*.

Parce que *Le Petit Prince* est en partie l'acte de réparation d'une injustice et la reconnaissance de son incompréhension – «J'aurais dû la juger sur les actes et non sur les mots» –, la conduite de Consuelo exige une étude attentive. On sait qu'elle recherchait la compagnie d'artistes qu'Antoine n'appréciait pas (les surréalistes, par exemple). Qu'elle ait eu un amant en contrepartie de l'intrusion de Nelly dans leur ménage ne serait pas surprenant, bien que dans son livre, *Oppède*, elle apporte un démenti aux rumeurs de relations sentimentales que le cercle d'Antoine lui attribuait avec un jeune architecte plein d'avenir, Bernard Zehrfuss.

Selon Madeleine Goisot, qui passa énormément de temps avec Consuelo pendant les six années qui précédèrent la guerre, il existait autour de son amie une véritable coalition malveillante destinée à salir sa réputation.

«Consuelo adorait séduire, autant que Saint-Ex d'ailleurs. Elle pouvait allumer, certes, mais sans aller plus loin»; et elle ajouta : «Sincèrement, je ne pense pas que le côté physique de l'amour l'attirait. Mais elle avait le besoin de se sentir aimée.»

Goisot assista à des scènes entre les deux époux où ils se reprochaient leurs mutuelles infidélités comme deux enfants s'adonnant à un jeu destructeur. «Il s'agissait du jeu dangereux de tous les amoureux : susciter la jalousie de l'autre. Consuelo insistait : "Si tu abandonnes tes avions tu n'auras pas de rival." Et Antoine répondait : "Si tu restes à la maison à m'attendre, si je suis l'unique, alors on verra." Mais ces joutes verbales ne débouchaient sur rien, en partie parce que Consuelo n'était pas de taille à se mesurer à un adversaire beaucoup plus redoutable que n'importe quelle femme : l'aviation. »

Les ennemis de Consuelo cultivent la théorie selon laquelle elle pratiqua l'adultère en série dans le but précis d'humilier son mari. En 1935, ce point de vue fut à l'origine du livre vulgaire *Le Baiser à Consuelo*, et, soixante ans plus tard, à l'évocation de l'épouse salvadorienne, la réprobation sévissait toujours dans le milieu familial d'Antoine. La rancœur continua, alimentée par des potins tels que ceux publiés par Françoise Giroud. Après avoir travaillé sur un tournage de film avec « Saint-Ex », elle disait le voir « crucifié et déçu par les infidélités de sa femme ». Dans les années quatre-vingt-dix, ces accusations furent reprises par l'écrivain Maurice Druon, secrétaire perpétuel de l'Académie française, que son oncle Joseph Kessel avait présenté à Saint-Exupéry.

« Sur le chapitre des infidélités, elle avait une bonne longueur d'avance, dit l'académicien. Ses amants incluaient le médecin qui traitait son asthme, un ami de ma famille. J'ai détesté Consuelo. J'admirais trop Saint-Ex, un grand héros et un grand écrivain, pour admettre qu'elle donnât à des médiocres la satisfaction de l'avoir partagée avec lui. » Maurice Druon ajoute, en terminant :

« Il m'a fallu quelque temps pour comprendre que certaines femmes, en se conduisant de manière indigne,

113

se vengent de s'être accrochées à un homme trop haut pour elles. »

Cette dernière analyse ne semble pas convenir à Consuelo qui, en définitive, rechercha toujours la compagnie d'hommes supérieurs depuis le moment où elle confia à Vasconcelos que son destin serait de partager celui d'un grand homme dans « la ruine ou la gloire ».

Pour les défenseurs de Consuelo, celle-ci adopta un comportement suspect simplement pour susciter des présomptions d'infidélité et rendre Antoine jaloux. Idée assez vraisemblable, surtout après l'esclandre de Saint-Exupéry apprenant sa supposée liaison avec l'écrivain Maurice Sachs. Pour se faire pardonner d'avoir involontairement apporté la brouille dans le ménage, celui-ci expliqua à Antoine avoir été très flatté par la sympathie de Consuelo en précisant :

« Mais il est absolument vrai que, pendant les soirées et les après-midi que nous avons passés ensemble, elle me parlait surtout de vous, et de telle façon que je savais bien qu'elle n'aimait et ne pouvait aimer que vous. Je ne vis en Consuelo qu'une jeune femme un peu triste qui se grisait un peu, qui ne savait pas où poser le pied sur ce terrain mouvant du monde – qui n'aimait que vous. »

Ce que Sachs aurait pu ajouter pour convaincre entièrement Antoine, c'était son désintéressement physique pour les femmes. De Consuelo, il se rappelait surtout « sa grâce, sa douceur et sa fantaisie », des vertus qui passèrent inaperçues aux yeux de la plupart des observateurs qui ne retinrent que l'extériorisation bruyante de sa « petite âme sauvage ».

L'imprévu devenait inévitable avec ses entrées comparables, d'après l'écrivain Henri Jeanson, à « une cataracte » et une distraction qui provoquait des situations comiques – comme celle de la jeune femme trempant sa serviette de table dans son verre de vin, au lieu d'eau, pour frotter une tache sur son tailleur blanc. Quelquefois les résultats furent moins drôles mais aussi spectaculaires, comme l'évoque l'anecdote racontée par le fils de Léon Werth, Claude, lorsque Consuelo causa presque un incendie dans le chalet de ses parents en voulant éteindre un petit feu avec de l'eau de Cologne. Adolescent à l'époque, Claude Werth attendait avec impatience les visites de Consuelo qui faisaient entrer l'originalité et la drôlerie dans la maison :

« Je guettais sa venue avec une certaine fébrilité. Je la trouvais très amusante et je ne comprenais pas pourquoi elle irritait mon père. C'était un homme sérieux. »

Sa nature explosive fut même à l'origine de quelques perturbations sur la voie publique quand, impatiente, elle descendait avant l'arrêt d'un véhicule, au grand désespoir du conducteur. Lorsqu'elle séjourna à Toulouse avec Antoine, cette tendance effraya même les chauffeurs de taxis qui la surveillèrent comme un enfant.

Le jugement tenace de la famille Saint-Exupéry sur l'influence néfaste de Consuelo commença à fléchir en 1994, sans doute grâce à un début de réhabilitation, et à l'accent mis sur l'importance de la Rose dans des analyses du *Petit Prince*, auquel il faut ajouter, sans doute, une petite biographie écrite en 1998. L'auteur de cet ouvrage, Nathalie des Vallières, la petite-nièce de Saint-Exupéry, eut accès aux archives familiales et en déduisit que, si Consuelo n'était pas un lac de sérénité, elle amusa Antoine et lui évita une vie routinière. À ses côtés, il redécouvrit la fantaisie de son enfance car, avant tout, comme elle, il ne voulait pas grandir.

115

Le cousin d'Antoine et ami de Nelly de Vogüé, André de Fonscolombe, considère lui aussi que le jugement porté fut excessif, même s'il pense qu'elle ne fut pas la compagne idéale pour un aristocrate élevé dans le respect des apparences.

« Consuelo avait une immense valeur personnelle et elle l'aimait beaucoup, mais elle était incapable de le rendre heureux. Ce n'était pas sa faute à elle s'il avait des difficultés à écrire et peut-être lui a-t-elle rendu service. Ne dit-on pas qu'il faut être malheureux pour écrire ? »

La réponse à cette question se trouve dans *Le Petit Prince*, écrit après les souffrances de la guerre et de l'exil, dans lequel Antoine révèle avoir découvert que l'essentiel pour être heureux peut se cacher dans une simple rose.

CHAPITRE VI

Le Petit Prince

Lu à la lumière des cinq dernières années de la vie de Saint-Exupéry, *Le Petit Prince* apparaît sans conteste comme autobiographique et étrangement prémonitoire. L'incident de la panne dans le désert qui sert d'introduction à cette fable comme d'autres passages sont des réminiscences de la vie de Saint-Exupéry, parfois de son adolescence. On y retrouve également les souvenirs de son accident dans le désert de Libye, en 1935, lorsqu'il souffrit d'hallucinations.

Quant au renard aux grandes oreilles pointues, il trouve son inspiration à deux sources : le petit fennec apprivoisé qui agrémenta la solitude d'Antoine à Cap-Juby en 1929, et celui dont il suivit les traces à peu de distance de son épave dans les sables du Sahara. La sagesse de l'animal prélevant avec prudence sa nourriture dans son élevage de petits escargots pour ne pas perturber leur reproduction laissa Saint-Exupéry perplexe et plein d'admiration. Mais la préoccupation essentielle du héros de ce conte, longuement évoquée dans vingt des quatre-vingt-dix pages de l'ouvrage, concerne l'abandon de la Rose par le Petit Prince lorsqu'il s'aventure vers d'autres planètes et la prise de conscience de ses responsabilités envers sa fleur. Son

117

retour sur l'astéroïde B-612 ne peut se réaliser qu'avec sa mort apportée par le serpent.

Les preuves que la Rose représente Consuelo sont nombreuses, même si Nelly de Vogüé n'en mentionne aucune dans son essai sur l'œuvre de Saint-Exupéry, ni dans son second livre sur l'aviateur, publié en 1959, encore sous le pseudonyme de Pierre Chevrier. Cet ouvrage très utile, particulièrement pour les interprétations de *Citadelle* qu'il contient, présente un précis du *Petit Prince* qui n'accorde à la Rose pas plus d'importance qu'à l'homme d'affaires ou au roi sans sujets. Nelly ne fut pas la seule à se fourvoyer. La méprise la plus flagrante émane de l'un des théologiens et psychanalystes européens les plus connus, Eugène Drewerman. Dans son ouvrage paru en France, en 1992, sous le titre *L'essentiel est invisible*, l'intellectuel allemand relève « l'affabilité, les minauderies et l'égocentrisme prétentieux » de la Rose, et en déduit qu'il s'agit là d'un langage codé pour désigner la mère d'Antoine, Marie de Saint-Exupéry. Interprétation reproduite en 1997 dans une bande dessinée sur la vie de l'aviateur-écrivain du cartooniste italien Hugo Pratt, et préparée avec la collaboration de la famille. En première page, on peut lire dans une bulle la certitude du héros d'attendre son aimée dans l'éternité – un extrait de lettre exclusif tiré de ma biographie de Saint-Exupéry –, mais le dessinateur réserve cette prière à la mère d'Antoine et non à sa femme.

Avant de retracer les cinq dernières années de la vie de Saint-Exupéry et d'en montrer le fil avec son mariage mouvementé, on ne saurait trop insister sur le fait que Consuelo est sans ambiguïté la Rose et que la vision en filigrane du conte du *Petit Prince* est la permanence du mariage. Pour preuve cette lettre d'Antoine à son épouse

118

dans laquelle il précise en mots simples et désarmants : « Tu sais que la rose c'est toi. Peut-être n'ai-je pas toujours su te soigner mais je t'ai toujours trouvée jolie. »

Un compliment à son physique agréable, mais qui ne l'aida pas à capturer dans ses dessins naïfs la fragilité de sa gracieuse personne. De toutes les illustrations du livre, celles de la fleur sont les plus rudimentaires et peu identifiables à une rose, trop stylisées ou trop élaborées.

Quelquefois, dans ses conversations, Saint-Exupéry ne cacha pas son intention de créer une confusion entre la rose et Consuelo, tout en laissant ses interlocuteurs libres de leurs interprétations. Parmi ses connaissances, Marie-Madeleine Mast, la femme du résident général en Tunisie, se souvint d'un dîner en 1943. Saint-Exupéry, alors commandant dans l'armée de l'air, commença à parler de sa fable. Il la décrivit comme la concrétisation d'un rêve éveillé qu'il fit après une opération chirurgicale en 1942 à Los Angeles.

« Puis il nous parla de la rose, ajouta-t-elle. C'était bien mélancolique, bien désabusé. La rose unique, nous dit-il, c'était sa femme. Il en était responsable et il n'y avait qu'elle. »

Un autre ami de l'écrivain, Louis Deleas, libraire à Rabat et poète à ses heures, reçut en 1943 des mains mêmes de l'auteur un exemplaire du *Petit Prince*. Il raconta qu'il lui sembla entendre, en le lisant, le dialogue d'Antoine et de Consuelo. Outre les comparaisons littéraires évidentes entre l'attitude de la fleur et celle de l'épouse, le témoignage le plus convaincant est apporté par Robert Tenger qui édita le livre de Consuelo, *Oppède*, à New York pour les Éditions Brentano's, et lui servit à Paris de conseiller juridique. Pendant les années d'exil aux États-Unis, cet

119

avocat passa beaucoup de temps avec le couple et eut l'occasion d'écrire au sujet du *Petit Prince* : «Je suis persuadé que c'est Consuelo qui en est moralement et intellectuellement l'inspiratrice. »

Il fallut à Saint-Exupéry la violence de la guerre et une séparation physique réelle par-delà les mers pour reconnaître qu'il avait tissé des liens indestructibles avec sa femme. Il ne cessa jamais de lui écrire des pages passionnées, au moins jusqu'à son dernier anniversaire, le 29 juin 1944, un mois avant sa disparition, avec ce jour-là une lettre non datée mais facile à placer dans le temps grâce à cette introduction : « Ça y est, j'ai quarante-quatre ans», suivie de la promesse devenue habituelle de rester à jamais son compagnon. La fréquence de ses lettres augmentait en proportion de la distance qui les séparait. L'échange épistolaire commença quand ils emménagèrent dans des appartements séparés à Paris en 1938 – celui d'Antoine se situant près du bois de Boulogne, à deux pas de chez Nelly – puis s'accéléra quand il loua La Feuilleraie pour Consuelo, un petit manoir à Varennes-Jarcy, dans la forêt de Sénart au sud-est de la capitale.

À cette époque, Consuelo supportait depuis trois ans et avec beaucoup d'amertume l'éloignement d'Antoine et avoua à Suzanne Werth «être en mille morceaux», car Nelly avait gagné. Néanmoins elle ne dévoila sa détresse qu'à ses intimes et continua d'organiser dans sa maison de banlieue les soirées bruyantes qu'elle adorait. Il arriva à Antoine de venir lui rendre visite, de laisser un mot sur la porte et de faire demi-tour après avoir aperçu les nombreuses voitures garées dans le jardin.

Dans *Oppède*, Consuelo se souvient avec nostalgie de cette belle propriété et commente avec détails son élevage de lapins angoras et sa volée de canards pour lesquels elle avait construit un immense bassin en détournant le cours d'un ruisseau. Madeleine Goisot, qui compta parmi les familiers de la villa, se remémore avec précision une modeste mare où s'agitait un volatile, et une cage habitée par un couple de lapins. Quand Antoine et Consuelo ne résistèrent pas au coup de foudre en visitant La Feuilleraie, ils se demandèrent comment ils allaient en assumer le loyer. Le problème financier fut rapidement résolu peu de temps après avec un contrat mirobolant pour la publication de *Terre des hommes* aux États-Unis, sous le titre anglais *Wind, Sand and Stars*, qui apporta à Saint-Exupéry une confortable aisance.

Puis vint la déclaration de guerre, et Consuelo allait connaître la solitude de toutes les femmes de soldats quand Antoine fit intervenir un général de ses amis pour passer outre au certificat médical défavorable à une affectation, à cause des séquelles de ses nombreux accidents. Il réussit ainsi à être intégré comme pilote dans une patrouille de reconnaissance aérienne, le groupe 2/33, basé dans le Nord de la France. Après des mois de demi-activité dans la drôle de guerre, il démontra son aptitude à combattre, et apporta un démenti à l'avis des médecins en réussissant des exploits comme le vol à basse altitude au-dessus d'Arras, qui lui valut la croix de guerre et devint le thème de *Pilote de guerre*.

Pour les proches, la rupture du couple paraissait désormais définitive, particulièrement au moment où Saint-Exupéry renvoya sans ménagement Consuelo, venue lui rendre visite dans son cantonnement à Orconte. En juin 1940, désemparé par la débâcle, Antoine s'alarma soudainement pour sa femme et se précipita à La Feuilleraie, juste à temps pour charger la petite voiture de Consuelo de bidons d'essence et la voir prendre la route de l'exode vers le sud. Ce fut leur dernier tête-à-tête avant leur réunion aux États-Unis en novembre 1941.

Consuelo se dirigea d'abord vers Pau, peut-être sécurisée par la proximité de l'Espagne, alors que l'escadrille de Saint-Exupéry se réfugiait en Afrique du Nord pour revenir deux mois plus tard. Comme tous les militaires démobilisés, sauf 1,8 million de prisonniers de guerre, il fut confronté au dilemme : rejoindre à Londres les partisans de la France libre, ou attendre une éventuelle résurrection de la France sous le gouvernement de Philippe Pétain. D'Alger, c'est à Nelly qu'il s'adressa pour demander conseil. À son retour, en août, elle l'attendait à Marseille pour le conduire en voiture à Agay. Pendant les semaines qui suivirent, il trouva un réconfort en sa compagnie, apparemment dans l'ignorance du sort de Consuelo.

À Agay, situé en zone libre, le climat politique n'encourageait guère à prêter une oreille intéressée aux projets d'autres pilotes qui souhaitaient passer en Espagne pour rejoindre de Gaulle en Angleterre. L'aristocratie française, en général, vit d'abord le salut de la France en Pétain, le maréchal de la Première Guerre mondiale, avec ses choix monarchistes, anticommunistes et antisémites. Saint-Exupéry se trouva entouré de personnes peu disposées à résister quand les deux tiers du pays se trouvaient sous la botte de l'ennemi. Nelly, influencée par son amitié avec René de Chambrun, le gendre de Laval, partageait cet avis, comme André Gide, Yvonne de Lestrange ou Jean de Vogüé, un capitaine de marine qui, plus tard, se distingua dans la Résistance.

Du groupe familial, seule sa mère, Marie, souhaita le voir continuer le combat, même si, par la suite, Nelly comme son mari finirent la guerre aux côtés des militants de la France libre. Gide, comme beaucoup d'intellectuels, y compris Malraux, préféra attendre la suite des événements jusqu'à ce que les États-Unis décident de déclarer la guerre à l'Allemagne. Des géants de l'écurie Gallimard, seul Joseph Kessel adhéra rapidement à la Résistance. Les autres acceptèrent la thèse selon laquelle l'armistice de Pétain venait d'épargner à la France l'occupation totale de son territoire et le triomphe du communisme.

Soucieux de mettre son expérience au service de l'État, Antoine se rendit à Vichy en compagnie de Nelly pour discuter de son éventuelle candidature à un poste au sein de l'administration que finalement il refusa. La nomination qu'il visait, celle de délégué entre les gouvernements américain et français, lui échappa et échut à René de Chambrun. Un climat de conspirations régnait dans la petite station thermale auvergnate avec sa masse de fonctionnaires continuant leur train-train comme en temps de paix. Cette bureaucratie aveugle eut pour heureuse conséquence d'inspirer à l'écrivain le personnage de l'allumeur de réverbères du *Petit Prince* qui obéit à des ordres caduques, uniquement parce que ce sont des ordres.

Après une dernière visite à Paris pour récupérer des notes de *Terre des hommes*, Saint-Exupéry profita d'une invitation de son éditeur américain Hitchcock and Raynal pour s'embarquer à destination de New York et se consacrer à la promotion de l'ouvrage distingué livre de l'année aux États-Unis, et déjà couronné en France du prix de l'Académie française. Il émigra en décembre 1940, après quelques jours passés auprès de sa mère à Cabris, près de Cannes, à qui il confia le soin de veiller sur Consuelo et de l'aider si elle se trouvait dans le besoin. À moins d'avoir accès à toute sa correspondance, il est difficile d'être certain qu'il savait à ce moment-là où se trouvait sa femme.

Pendant sa mobilisation, il avait déjà fait appel à la générosité de sa mère en s'apitoyant sur la fragilité et la vulnérabilité de sa « pauvre petite Consuelo si faible et si abandonnée », et en lui demandant de l'accueillir comme sa fille.

Prière à laquelle elle répondit qu'elle ouvrirait son cœur à sa belle-fille et le bénissait d'avoir fait le maximum en son pouvoir pour Consuelo « en allant au-delà de vos forces », un sentiment partagé par tous les amis de Saint-Exupéry. Si après la guerre elle fut un modèle de sollicitude pour la veuve de son fils, en 1940 ces mots contenaient en substance toute la lassitude ressentie à propos d'un mariage considéré comme sans avenir.

Le royaume des rochers

En avril 1945, Robert Tenger, le directeur des publications françaises des Éditions Brentano's à New York, publia le roman écrit par Consuelo de Saint-Exupéry, *Oppède*. Ce récit, partiellement rédigé par un nègre, où « l'irréel semble se mélanger au réel », relate l'année qu'elle passa au sein d'une communauté d'artistes et d'architectes dans un village provençal du Luberon près d'Apt. C'est dans la pauvreté et avec la faim au ventre que le groupe, dominé par Bernard Zerhfuss, un ami et admirateur de Consuelo de la période parisienne, s'installa dans les ruines du haut village et entreprit la rénovation du château du XIIIe siècle. Lorsqu'elle quitta Oppède un an plus tard pour rejoindre Saint-Exupéry à New York où elle arriva en novembre 1941, elle promit à ses amis de raconter leur histoire. En mai 1944, elle envoya les premiers chapitres à Antoine qui lui répondit de sa base à Alger : « Félicitations. J'écrirai pour vous la plus belle préface du monde. »

Malheureusement, il disparut sans voir le livre terminé, mais au moment de sa promesse il avait renouvelé avec ferveur son attachement éternel à Consuelo. Lorsqu'ils se réconcilièrent à New York, elle avait déjà jeté sur le papier les grandes lignes de son récit dans un journal qu'elle mettait à jour quotidiennement. Antoine fut probablement très ému par la découverte de ses errements dans le Sud de la France, de Pau à Marseille pour atterrir à Oppède et s'investir dans un projet remarquable quand trouver du papier et des crayons relevait de l'exploit.

Peut-être que l'ancienne manie d'attiser la jalousie de l'autre réveilla en eux un instinct de possession réciproque. Dans le livre, Consuelo se présente sous le prénom de Dolores – douleur – et s'étend sans discrétion sur les sentiments très forts de Zerhfuss à son égard, attachement auquel elle est sensible. En même temps, elle se languit de son aviateur dont elle ne dévoile pas le nom et attend avec impatience le moment de le rejoindre dans son exil. Tous les jours elle lui écrit des lettres qu'elle renonce à expédier à cause d'un service postal transatlantique peu fiable, et qu'elle confie au secret d'une grotte.

Zerhfuss, l'un des trois architectes du palais de l'Unesco construit en 1958, semble avoir été fasciné comme tous les autres admirateurs de Consuelo par le tempérament volcanique de son amie salvadorienne, malgré ses dix ans de moins qu'elle. *Oppède* s'achève avec une lettre de Bernard dont l'obsession contenue dans le dernier paragraphe pouvait rendre Antoine songeur : « Mes villes de rêves s'édifient dans mes nuits, peuplées de femmes et de statues qui te ressemblent. »

Saint-Exupéry n'eut pas la chance de pouvoir lire la version complète de l'ouvrage qui l'aurait surpris par une évidence qu'il ne soupçonnait pas : livrée à elle-même et face à l'adversité, la fragile Consuelo savait organiser sa vie avec une remarquable efficacité et se passer de galas, soirées, dîners, prétendument vitaux pour elle. Son statut d'aînée au sein de la petite tribu d'artistes idéalistes lui conféra immédiatement une certaine autorité qu'elle sut mettre à profit pour être écoutée. Elle se glissa également dans le rôle de conteuse du camp où ses histoires fantastiques remportèrent plus de succès qu'auprès des amis d'Antoine. Ainsi, en évoquant Pivoulou, la jeune femme du groupe qu'elle préfère, Consuelo écrit : « Je lui racontais ma vie en El Salvador, au Mexique, en Amérique du Nord, en Chine. Elle savait parfaitement que je n'étais jamais allée en Chine, mais c'étaient mes histoires sur la Chine qu'elle préférait. »

Quelques passages du livre sont d'un style tellement assimilable à celui baroquement biblique du Saint-Exupéry de *Citadelle* que l'on se demande s'il s'agit d'extraits de lettres de l'écrivain, ou la preuve du talent d'imitation littéraire de Consuelo. À titre d'exemple le contenu d'un paragraphe : « Je suis de ceux qui ont choisi une fois pour toutes le chemin vers le trésor, plutôt que le trésor. J'accompagnerais volontiers l'aventurier le plus rêveur qui se met en route vers un trésor ignoré, et je suivrais les pentes les plus dangereuses, si je sens l'homme en la puissance de son rêve. J'aime l'énergie d'action que donne le trésor, et c'est pour moi le trésor même : bâtir une ville, créer un mouvement, lier des hommes, entretenir l'espoir de toucher un jour quelque chose qui soit plus élevé que nous-mêmes. »

Les souvenirs de son enfance et de son adolescence figurent toujours en bonne place dans ces aventures où elle fait renaître pour son auditoire les images magiques de sa terre natale.

« Au Mexique, il y a des monuments qui parlent, des pyramides qui tournent, des feuilles qui sifflent, et les yeux perdus des venados sont comme des graines sèches toutes noires. Et les Indiens racontent que ce sont de vraies graines, les yeux, et qu'ils font naître de vrais arbres si on leur trouve un sol pierreux qui leur convienne. Alors les branches vertes vont au ciel et celui qui mange de leurs feuilles, il ne deviendra jamais fou. »

Sans omettre une allusion aux sinistres dômes habités par une malveillance assoupie : « La pierre sort des volcans chez moi. Les volcans sont des blessures de la terre, et, de temps à autre, la terre comme les femmes saigne dans sa saison. C'est tout naturel. Seulement, le sang des volcans, quand la terre ne brûle pas, quand elle n'est plus vivante à l'intérieur, quand elle devient triste, le sang devient pierre. »

Demanda-t-elle ou pas l'assistance de Tenger pour ciseler des comparaisons aussi imagées écrites en français ? Elles résonnent de l'authenticité d'un témoin pour qui la guerre, à laquelle elle fait peu référence, peut paraître moins spectaculaire que les bouleversements de la nature. Quel mystère filtrait dans sa voix quand elle retraçait les légendes de son pays, qui charmait Saint-Exupéry et qui fit dire à Henri Jeanson qu'elle « l'attendrissait, le fascinait. Bref, il l'adorait » ?

Le même garçon qui vous aimait

Pendant que Consuelo vivait son épopée à Oppède, Nelly retrouva plusieurs fois Antoine à New York, jusqu'à ce qu'il la persuade d'entreprendre des formalités pour faire obtenir à Consuelo un visa d'entrée aux États-Unis. Une requête interprétée comme une prière, de peur qu'une Saint-Exupéry ne déshonore le nom de la famille en succombant aux avances des Allemands. Dans le contexte d'Oppède, situé en zone libre, dans l'arrière, arrière-pays, les craintes de Nelly paraissent disproportionnées et méprisantes quant aux risques encourus.

C'est seulement en lisant l'œuvre littéraire de Saint-Exupéry écrite en exil que l'on peut comprendre les priorités d'une vie aux strates émotionnelles multiples. En public, il donnait l'impression de compter sur une kyrielle de jeunes et jolies femmes pour l'acccompagner dans ses sorties. En privé, il se tournait instinctivement vers Nelly pour obtenir un réconfort moral, en particulier parce qu'elle seule possédait les qualités intellectuelles et un intérêt personnel pour écouter l'éprouvante progression de *Citadelle*.

En novembre 1941, Consuelo arriva aux États-Unis. Elle débarqua à Hoboken, dans le New Jersey, après une année passée à Oppède, apparemment privée de tout, mais néanmoins chargée de bagages quand Saint-Exupéry l'accueillit à sa descente de bateau. Jean-Gérard Fleury, un vétéran de l'Aéropostale, accompagnait Antoine et sa réaction en revoyant Consuelo montre qu'elle n'avait rien perdu de sa pétulance.

« Sur le chemin du retour nous écoutons avec ravissement le gazouillis du bel oiseau des tropiques. Consuelo

128

nous raconte sa vie à Oppède, village abandonné qu'elle a fait renaître avec un groupe d'illuminés, et, comme toujours, son récit est riche en couleur, abonde en aventures féeriques. Il faudrait reproduire son accent espagnol, ses mimiques et ses roulements d'yeux pour expliquer notre amusement un peu émerveillé en l'écoutant. »

Au lieu de l'emmener chez lui, Antoine conduisit sa femme dans un autre appartement sur le même palier, suffisamment près pour la protéger mais suffisamment loin pour ne pas subir son épuisant babillage. Aussitôt installée, elle reprit contact avec les expatriés espagnols perdus de vue à Paris, particulièrement Dali et Miró, retrouva Maurice et Célisette Maeterlinck qui vivaient dans le même immeuble. Son cercle d'amis engloba les surréalistes Max Ernst et André Breton, dont Antoine fuyait les discours pontifiants. L'une des rares personnes acceptées par les deux parties fut l'écrivain suisse Denis de Rougemont, qui prit la place de Bernard Zerhfuss auprès de Consuelo. Pendant ce temps, Saint-Exupéry maintenait ses bonnes relations avec plusieurs séduisantes admiratrices.

Pris dans un tourbillon d'activités, il travaillait au premier jet de *Pilote de guerre*, continuait ce qu'il pensait être l'œuvre de sa vie, *Citadelle*, répondait à des consultations de l'armée américaine, et menait une vie sociale intense, espérant toujours la présence de sa compagne quand il la souhaitait. Mais Consuelo, pas plus qu'à Paris, ne pouvait se plier aux désirs de Saint-Exupéry, ce qui relança l'habitude des anciennes récriminations et scènes de jalousie. Son inaptitude à respecter un rendez-vous fut à l'origine d'innombrables notes d'Antoine glissées sous la porte de sa femme dans lesquelles il se dit « seul, perdu et amer », l'accusant de l'inquiéter inutilement.

« Il y a au fond de moi le même garçon qui vous aimait, mais il y a au fond de vous la même Consuelo qui laissait vide la maison. »

Saint-Exupéry, toujours indifférent à dater son courrier, ne permet guère de situer ces moments de réprimandes, comme celui où il reproche à Consuelo de lui avoir presque causé une crise cardiaque en ne rentrant pas de la nuit. Il souhaite lui faire prendre conscience du cauchemar qu'il vit, attendant, sans dormir, qu'elle passe lui souhaiter bonne nuit.

« Si vous pouviez imaginer le supplice de mon angoisse jamais vous ne me feriez ça. Tu m'as laissé infiniment las et désespéré et ça ne te préoccupe plus. Mais si je compte sur toi peut-être ne vais-je trouver qu'un avenir de glace et de neige. »

D'un couple maintenant entré dans la quarantaine, nous ne savons rien des relations physiques. Consuelo, assez extravertie dans ce domaine, resta très discrète au sujet d'Antoine. En revanche, les témoignages attestent que l'attitude de celui-ci fut encore plus protectrice envers sa femme après leur réunion. À la suite d'une agression par des délinquants qui en voulait à son sac à main, elle passa quarante-huit heures en clinique avec un Saint-Ex traumatisé et paniqué, constamment à son chevet. Malgré leurs fréquentes scènes, où Consuelo parlait encore de divorce, Antoine argumenta lui-même contre cette solution. Pas pour des mobiles mesquins, mais plus par nostalgie des commandements de la religion catholique et par souhait de ne pas offenser sa mère dont le propre mariage avait été plus une question de devoir que de choix. Dans son milieu, les raisons d'un mariage étaient le plus souvent économiques que sentimentales. Et le couple, souvent, admettait la présence de maîtresses et d'amants à condition qu'elle reste discrète.

Aucune de ces considérations ne convient à l'approche littéraire et à la moralité d'un homme entêté dont les premières réflexions écrites sur la nécessité d'un engagement dans le mariage, quel qu'en soit le prix, dataient de *Courrier Sud*. Même si, par la suite, il n'aborda le sujet qu'en termes voilés dans ses livres, celui-ci devint le thème d'analyses répétées dans *Citadelle* qu'il commença en 1936. Les premiers amis qu'il tenta de persuader d'adhérer à ce projet ambitieux, Drieu la Rochelle et Benjamin Crémieux, furent si surpris par le style alambiqué qu'ils lui conseillèrent de rester dans le domaine du roman. Mais tout comme les pressions de ses proches l'incitant à abandonner Consuelo, la désapprobation produisit l'effet contraire et il continua d'élargir ce qu'il appela, jusqu'à sa mort, son œuvre posthume.

Le livre aurait pu rester pour toujours sous sa forme de premier jet, une suite de réflexions philosophiques, si Nelly et Simone de Saint-Exupéry n'avaient pas entrepris, après la guerre, d'éditer ces documents dactylographiés. La majorité des six cents pages, au ton mi-coranique mi-biblique surprenant, est sans intérêt pour une biographie de Consuelo, sauf quelques références au mariage, énoncées par un seigneur berbère totalitaire mais bienveillant. On pense que ces commentaires sur la valeur de relations adultes indissolubles furent probablement écrits après les retrouvailles des deux époux à New York, ou juste après.

Un passage important exprime le désir du chef de « perpétuer l'amour », et continue dans un curieux langage contourné : « Il n'est d'amour que là où le choix est irrévocable car il importe d'être limité pour devenir. Et le plaisir

131

de l'embuscade et de la chasse et de la capture est autre que de l'amour. Ta signification est d'époux. Et celui de la femme est d'épouse. »

Il souligne le mot « épouse » qui, dit-il, prend un sens plus lourd quand on dit « mon épouse », avec le sérieux du cœur, et continue : « Et tu découvres d'autres joies et d'autres souffrances. Mais elles sont condition de tes joies. Tu peux mourir pour celle-là puisqu'elle est de toi comme tu es d'elle... »

L'ouvrage contient une multitude de références à l'amour conjugal, certaines difficilement décodables à cause de l'ambiguïté du langage, et d'autres qui se détachent comme de lumineux messages de compréhension pour les travers de Consuelo. Ainsi le chef est désarmé par la « cruauté chantante » et les mensonges de « celle que Dieu m'envoya », qui se jette à ses pieds, inconsolable de ne pas être crue quand elle ment.

« Il est du pathétique en elle et elle ensanglante les ailes dans la nuit de son cœur, et elle a peur de moi comme ces jeunes renards des sables auxquels je tendais des morceaux de viande et qui tremblaient, mordaient et m'arrachaient la viande pour l'emporter dans leur tanière. Je savais bien le remue-ménage qu'elle faisait dans ma maison. Et cependant je me sentais cloué au cœur par la cruauté de Dieu. » Et il implore :

« Aidez-la à pleurer. Versez-lui des larmes. Qu'elle soit fatiguée d'elle-même contre mon épaule : il n'est point en elle de lassitude. »

Un émouvant extrait qui dut résonner de façon familière pour les habitués du couple témoins de la gêne décontenancée d'Antoine face aux véhémentes et trop bruyantes protestations d'innocence de Consuelo, se réfu-

132

giant soudainement dans une quinte de toux, peut-être causée par son asthme aggravé par la pollution de la cité américaine. Saint-Exupéry détestait les cris hystériques de son épouse qui le laissaient désemparé, amer et comme il le lui écrit, « plein de rancune, parce que ce sont des scènes comme celles de Noël [1942] qui me vident pour des semaines de tout potentiel de travail ».

On peut se demander si la femme en qui les amis de Vasconcelos disaient avoir détecté le plaisir de blesser joua délibérément de la sensibilité d'Antoine. Celui-ci fait allusion à ce mauvais penchant dans une lettre où il lui reproche de le réveiller pour lui dire d'une voix douce des choses extrêmement douloureuses à entendre qui le forcent à serrer les dents pour ne pas répondre. Mais s'il laisse échapper un mot de colère, elle montre son triomphe. Reproche qu'il terminait par une interrogation : « Pourquoi ne puis-je rien attendre de vous à qui j'ai tant sacrifié au monde ? »

Ces mots désespérés n'allaient pas interrompre un flot de lettres passionnées comme celle-ci : « Consuelo, je vous écrirai ce soir une lettre d'amour. Parce qu'il arrive que malgré tant de blessures, de mots pas entendus de vous, d'appels qui meurent contre la vitre de votre petite âme fermée. Il arrive que je n'en puisse plus d'un amour qui jamais n'a trouvé son chemin. Il est en vous quelqu'un que j'aime et dont la joie est fraîche comme une luzerne d'été. »

Consciemment ou pas, Saint-Exupéry adressa une dernière prière au petit cœur fermé de Consuelo. Il écrivit *Le Petit Prince*, et l'enferma avec lui dans une fable qui commence au pied des volcans de l'enfance de la Rose et se termine dans le silence du désert, cher à Antoine.

CHAPITRE VII

Denis le fennec

Il existe deux fables ou paraboles dans *Le Petit Prince*. La première est une critique de la société moderne vue par le regard d'un enfant incapable de comprendre le comportement et les travers des adultes – matérialisme, tyrannie et inhumanité. Des attitudes que Saint-Exupéry analysa avec sensibilité dans des écrits privés et publics publiés pendant son séjour aux États-Unis ou après sa mort. Le second thème est la prise de conscience par le petit prince qu'il reste responsable de sa rose même si la nature exigeante de sa fleur est à l'origine de son départ ; il quitte alors sa planète pour découvrir l'existence de milliers de roses semblables à la sienne. Ce n'est qu'après sa rencontre avec le renard qu'il comprend que celle qu'il possède est unique, parce qu'elle l'a « apprivoisé », et qu'il décide de retourner sur son astéroïde pour prendre soin d'elle. Pendant longtemps on a spéculé sur l'identité de l'ami qui inspira les belles maximes de sagesse énoncées par le renard : L'essentiel est invisible pour les yeux ; c'est le temps que tu as perdu pour ta rose qui fait ta rose si importante.

L'une des interprétations les plus courantes est que la perspicacité du fennec résulte d'un amalgame des conseils intelligents de Nelly et de la sollicitude de Silvia Hamilton, une jeune femme américaine plutôt réservée à qui Saint-Exupéry offrit le manuscrit original du *Petit Prince*. Mais Nelly se trouvait en France quand Antoine écrivit sa fable et l'on peut se demander si elle aurait approuvé cette apologie des obligations du mariage, même si elle reconnut « qu'on ne pouvait aider Antoine qu'en aidant Consuelo ». Silvia, elle, ne prétendit jamais avoir contribué à la moindre ligne du livre, une des raisons étant sa méconnaissance du français.

Si l'on veut voir dans la sagesse du renard l'influence d'un tiers, il ne reste qu'un candidat sérieux pour le rôle de conseiller : l'écrivain suisse Denis de Rougemont, élégant au charme certain, auteur d'un ouvrage sur les dilemmes du mariage, *L'Amour et l'Occident*.

Pendant son exil à New York, avant de revenir plaider la cause d'une Europe unie, la vie de l'intellectuel suisse, fils d'un pasteur, fut intimement liée à celle des Saint-Exupéry, voisins habitant à une centaine de mètres, pour qui il joua souvent le rôle d'arbitre de leurs différends conjugaux. Comme tous les amis du couple, il dut subir les appels et les visites intempestives au milieu de la nuit qui lui firent dire : « Vous n'êtes pas un couple mais un complot permanent contre le sommeil de vos amis. »

Lecteur à l'université de Francfort jusqu'en 1936, pendant son séjour aux États-Unis il enseignait à l'École libre des hautes études de New York et préparait les émissions françaises de La voix de l'Amérique. Son esprit et sa culture en faisaient un interlocuteur et un partenaire idéal d'Antoine pour leurs interminables parties d'échecs. Âgé de trente-six ans en 1942, il connaissait lui aussi des difficultés dans son mariage qui le rendaient sensible aux conflits qui dressaient Antoine contre Consuelo et *vice versa*. Comme Saint-

Exupéry, il adorait débattre longuement en face à face de questions controversées, et on peut imaginer qu'ils analysèrent ensemble leurs problèmes conjugaux.

L'Amour et l'Occident, paru en 1939, traite de l'amour et du mariage à partir du type de la passion extrême, celle du mythe de Tristan et Iseut qu'il décrit comme une fatalité dont les victimes ne peuvent se délivrer, sauf en s'échappant du monde tel qu'il est, puisque les amants ne peuvent se rejoindre que dans la mort.

Aucune personne expérimentant un mariage houleux ne peut lire *L'Amour et l'Occident* sans remettre en question son degré de responsabilité dans le naufrage de la relation, ou reconsidérer la vraie nature de cette union. L'ouvrage offrait à Antoine matière à réflexion sur la passion qui le conduisit à un mariage précipité avec Consuelo, puis sur leur incapacité à vivre en harmonie.

« Aimer, au sens de la passion, c'est alors le contraire de vivre ! C'est un appauvrissement de l'être, une ascèse sans au-delà, une impuissance à aimer le présent sans l'imaginer comme absent, une fuite sans fin devant la possession », écrit de Rougemont. Si l'auteur avait connu la Consuelo de la période Vasconcelos, elle aurait pu lui inspirer ses références au schéma monotone des ruses de la passion ; une passion débile qui s'invente de secrets obstacles pour s'en nourrir.

« Je songe à la psychologie de la jalousie qui envahit nos analyses ; jalousie désirée, provoquée, soigneusement favorisée – la coquetterie est un peu simple –, mais on en vient à désirer que l'être aimé soit infidèle pour qu'on puisse de nouveau le poursuivre et ressentir l'amour de soi. » Mais selon l'analyste, non seulement mariage et romance ne sont pas complémentaires, mais ils sont antinomiques.

«La romance se nourrit d'obstacles, de brèves excitations et de séparations ; le mariage, au contraire, est fait d'accoutumance, de proximité quotidienne.» On retrouve ici l'importance des liens formulée par le renard. Néanmoins, de Rougemont penche manifestement pour le mariage, à tout prix, en le justifiant ainsi : «Le couple est la cellule sociale originelle, dont les forces constitutives sont deux êtres de lois singulières, différentes, mais qui choisissent de composer une union sans fusion, sans séparation et sans subordination.»

Finalement, un autre petit extrait tiré de ce traité de cinq cents pages nous donne cette réflexion exprimée de façon très poétique par le renard lorsque le Petit Prince décide de retourner vers sa rose : c'est son sens des responsabilités et non la passion qui dicte sa conduite. Traduit en d'autres mots par de Rougemont : «Choisir une femme pour en faire son épouse, c'est dire à Mlle Untel : "Je veux vivre avec vous telle que vous êtes." Car cela signifie en vérité : c'est vous que je choisis pour partager ma vie, et voilà la seule preuve que je vous aime.

«Seule une décision de cet ordre, irrationnelle mais non sentimentale, sobre mais sans aucun cynisme, peut servir de point de départ à une fidélité réelle. Et je ne dis pas une fidélité qui soit une recette de bonheur, mais bien à une fidélité qui soit possible.»

Selon de Rougemont, il était préférable que les couples décident de «vivre leur drame, et de choisir d'exister dans leur tension toujours changeante et surprenante». Il ajoute : «Je me fondais sur cette phrase d'Héraclite : "Ce qui s'oppose coopère, et de la lutte des contraires procède la plus belle harmonie."» Ou, dans le cas d'Antoine, la création du *Petit Prince*.

138

Ces conceptions intellectuelles du mariage venaient en parfait complément aux arguments toujours plus étayés qu'Antoine fournissait aux intimes qui l'incitaient avec persistance à abandonner Consuelo. La théorie d'un choix délibéré résultant d'une attitude réfléchie consciente de ses devoirs paraissait plus convaincante que celle fondée sur des valeurs spirituelles ou religieuses qu'il ne respectait plus.

Denis de Rougemont eut-il une influence encore plus directe sur le style et le texte du *Petit Prince*? La colère initialement éprouvée envers la Rose dans les premières esquisses du conte sembla s'adoucir le temps que les deux écrivains et Consuelo passèrent ensemble. De plus, de Rougemont maîtrisait superbement le type d'aphorismes qu'employa Saint-Exupéry, ce qui laisse supposer qu'il encouragea Antoine à se concentrer sur des formules simples et courtes, le contraire des raisonnements byzantins qui composent *Citadelle*. Une preuve parmi d'autres que Saint-Exupéry n'éprouva aucun complexe à écouter les conseils et adopter des méthodes de travail préconisées par d'autres auteurs pour produire *Le Petit Prince*.

Paul-Émile Victor, un compatriote et ami de Denis de Rougemont, montra à Antoine une technique d'utilisation du pastel consistant à retoucher la couleur au pinceau mouillé pour colorier ses croquis. L'explorateur avait lui-même appliqué ce mode de peinture pour les illustrations d'un livre pour enfants qu'il venait d'écrire, *Apoutsiak le petit flocon de neige*. Il ne vit *Le Petit Prince* terminé qu'après la mort de l'auteur et fut flatté de constater qu'Antoine avait mis en pratique ses conseils de coloriage et de découvrir une étrange similitude entre la dernière page des deux ouvrages, l'un avec un triste paysage de désert de sable sous une unique étoile et l'autre un paysage de neige sous un ciel étoilé. L'analogie ne s'arrête pas au dessin, puisque l'histoire d'Apoutsiak se termine avec la mort du petit Eskimo : « Avec ses fossettes et son sourire, et plein d'étoiles dans les yeux, il partit au paradis. »

Malgré les longues discussions avec de Rougemont et ses analyses éclairées, Antoine ne parvint pas à opter pour une résolution simple à l'exemple du Petit Prince qui décide de chérir sa rose après avoir compris la leçon du renard. Sitôt séparé de Consuelo, « l'épouse imparfaite » de *Citadelle*, il continua son processus d'idéalisation d'un être remodelé selon ses rêves dont il attendait une conduite incompatible avec la personne réelle.

Paradoxalement, à peine terminée une lettre débordante d'adoration à sa « petite fille lumineuse », son alter ego, le seigneur berbère de *Citadelle*, griffonnait dans ses carnets des commandements qui fustigeaient la femme adultère et recommandaient sa lapidation.

Si le Petit Prince avait accompagné Antoine dans les cinq dernières années de sa vie, il aurait sans doute remarqué chaque jour : « Décidément, les adultes sont vraiment bizarres. »

L'amour vrai de mon mari

Les souvenirs de Denis de Rougemont et d'André Maurois, également en exil a New York, fournissent les meilleurs témoignages sur l'état de santé du mariage des Saint-Exupéry pendant la période de création du *Petit Prince*. Le livre fut commandé par une petite maison d'édition américaine, Hitchcock and Raynal, pour une sortie initialement prévue à Noël 1942 qui profiterait de la publicité faite autour de *Pilote de guerre*. Antoine résista aux pressions qui le précipitaient dans l'écriture de son ouvrage et, pendant l'été 42, il loua avec Consuelo une maison de bois sur pilotis à Westport dans le Connecticut où il se mit au travail en profitant du calme et de l'air bénéfique de l'océan. De Rougemont passa une semaine de vacances auprès d'eux, avec « des parties d'échecs sur la galerie, après le bain, à toutes les heures du jour et de la nuit ».

Trouvant la maison trop modeste, Consuelo se mit à la recherche d'une résidence plus imposante et, en septembre, ils emménageaient dans Bevin House, à Northport, à deux heures de New York, ce qui permit à de Rougemont de passer ses week-ends dans cette immense bâtisse qu'il découvrit avec enchantement.

« C'est Consuelo qui l'a trouvée et l'on croirait qu'elle l'a même inventée : c'est immense, sur un promontoire emplumé d'arbres échevelés par les tempêtes, mais doucement entouré de trois côtés par des lagunes sinueuses qui s'avancent dans un paysage d'îles tropicales. "Je voulais une cabane et c'est Versailles", s'est écrié Tonio. Maintenant on ne saurait plus le faire sortir de Bevin House. Il s'est remis à écrire un conte d'enfants qu'il illustre lui-même à l'aquarelle. Je pose pour le Petit Prince, couché sur le ventre en relevant les jambes. »

Maurois passa lui aussi plusieurs semaines à Bevin House où il assista à un constant défilé d'invités, pour la plupart des exilés français et espagnols. En plus de le soumettre à la « corvée du roman » pour des pages de *Citadelle*, Saint-Exupéry lui infligea ses habitudes nocturnes de se lancer en pleine nuit dans de longues discussions

141

politiques ou des tours de cartes. Une harmonie animée semblait régner entre les deux époux, et pendant un certain temps, Consuelo redevint l'épouse attentionnée qu'elle avait été pendant leur lune de miel à la villa El Mirador en 1931. Maurois se souvint avoir été réveillé deux fois dans la même nuit par les cris retentissants d'Antoine appelant «Consuelo! Consuelo!» de son bureau au rez-de-chaussée parce qu'il avait une soudaine envie d'œufs brouillés.

Tous les visiteurs à Bevin House s'accordèrent pour dire que pendant cette période elle entoura son mari de sollicitude et de prévenance. Peut-être grâce au texte du *Petit Prince* dont elle suivit le développement et qu'elle put interpréter comme une confession et un souhait de réconciliation. Comme au temps de Nice, elle put de nouveau apporter sa mince collaboration en donnant son avis sur le graphisme des illustrations. Adèle Breaux, le professeur d'anglais d'Antoine, qui vint régulièrement à Bevin House, fut l'une des premières personnes à apercevoir les esquisses du petit garçon blond dans lesquelles elle détecta immédiatement quelque chose qui rappelait Consuelo.

C'est ce moment d'accalmie dans leurs relations que choisit Saint-Exupéry pour écrire une longue prière qu'il lui demanda de réciter chaque soir avant de s'endormir, comme une affirmation de leur dévotion réciproque :

«Seigneur, ce n'est pas la peine de vous fatiguer beaucoup. Faites-moi simplement comme je suis. J'ai l'air vaniteuse dans les petites choses mais, dans les grandes choses, je suis humble. J'ai l'air égoïste dans les petites choses mais, dans les grandes choses, je suis capable de tout donner, même ma vie. J'ai l'air impure, souvent, dans les petites choses, mais je ne suis heureuse que dans la pureté.

«Seigneur, faites-moi semblable toujours à celle que mon mari sait lire en moi.

«Seigneur, seigneur, sauvez mon mari parce qu'il m'aime véritablement et que sans lui je serais trop orpheline, mais faites, Seigneur, qu'il meure le premier de nous deux parce qu'il a l'air, comme ça, bien solide, mais qu'il angoisse trop quand il ne m'entend plus faire de bruit dans la maison. Seigneur, épargnez-lui d'abord l'angoisse. Faites que je fasse toujours du bruit dans sa maison, même si je dois, de temps en temps, casser quelque chose.

«Aidez-moi à être fidèle et à ne pas voir ceux qu'il méprise ou qui le détestent. Ça lui porte malheur parce qu'il a fait sa vie en moi. Protégez, Seigneur, notre maison. Amen! Votre Consuelo. »

Après les quelques mois de répit dans la quiétude de la maison de Northport, leur vie continua à New York dans une vaste maison de ville de quatre étages, à Beekman Place, naguère meublée pour Greta Garbo. Le naturel de chacun réémergea aussitôt pour recréer l'atmosphère stressante de querelles et de scènes qui les poussa à chercher refuge auprès d'autres partenaires. Consuelo devint ainsi la compagne assidue de Denis de Rougemont et Antoine se précipitait auprès de Silvia Hamilton, chez qui il mit les dernières touches de couleur au *Petit Prince*, tout en continuant de noter dans ses cahiers ses réflexions philosophiques pour un monde meilleur, destinées à *Citadelle*.

Un monde mesquin qui ne l'épargna pas. À New York, il fut la cible de gaullistes qui avaient fui le régime de Vichy et qui reprochaient à Saint-Exupéry de se dérober à ses devoirs de défense de la patrie et l'accusaient d'être un émissaire du Maréchal. En fait, Antoine éprouvait mainte-

143

nant une certaine méfiance vis-à-vis de Pétain, mais ne pouvait se résoudre à rejoindre la Résistance en objectant qu'elle entraînerait de la part des nazis une répression meurtrière avec des centaines de milliers de victimes civiles.

Son dilemme s'accentua encore avec le débarquement des Alliés en Afrique du Nord en novembre 1942. Au début de l'année 1943, il écrivit plusieurs longues lettres à Consuelo – pourtant jamais très loin – pour lui exprimer son besoin de retourner au combat.

« J'ai aimé mon pays de toutes mes forces. Je ne sais pas de quel côté le servir bien. Je n'ai ni ambition ni désir d'argent ni rien de semblable. Je voudrais simplement être utile. »

Il se prépara à repartir pour l'Europe après une demande de réintégration dans son ancienne escadrille de reconnaissance. Il apparut dévasté par le chagrin en s'apercevant que Consuelo ne semblait pas concernée par son imminente mobilisation. Elle continuait une vie frénétique de fêtes et de cocktails avec des absences qui causaient toujours autant d'anxiété à Antoine qui, déconcerté par cet « étrange désert » dans sa vie, alla s'épancher auprès d'une amie new-yorkaise en ces termes :

« Consuelo exprime pour moi tout le pathétique de la vie. Mais alors, au moins, vous savez que je me trompe et que, si Consuelo me tourmente, c'est pour des motifs qui, même faux, ne sont ni futiles ni mesquins, ni bas. »

Le 29 mars, deux jours avant d'embarquer pour l'Afrique du Nord, conformément à sa feuille de route, il adressa une ultime lettre désespérée à sa femme qui ne manifestait aucun intérêt à la préparation de son sac pour son long voyage en bateau.

144

« Je suis mobilisé après-demain mercredi. J'ai passé le jour à me tourmenter. Je n'ai même pas une chemise sans trou pour l'Afrique du Nord, ni chaussettes, ni chaussures, ni rien. Je me suis dit "Comment trouverais-je quelques sous ?" Là-dessus vous rentrez avec des robes neuves... Je pense que vous serez plus heureuse sans moi, et moi je pense que je trouverai enfin la paix dans la mort. »

Un cantique de reconnaissance

Avec le départ d'Antoine se terminait un épisode de la vie erratique du couple et s'ouvrait une autre phase dans laquelle, graduellement, Consuelo devint le centre d'une affection débordante. En quittant les États-Unis, il la laissa sous la protection de Denis de Rougemont pour être confronté à une autre forme de tourment dès son arrivée à Alger. Après une réintégration dans son ancien groupe, grâce à l'influence et la pugnacité d'amis, il fut interdit de vol au prétexte d'une apparente inaptitude à piloter le chasseur bombardier américain, le P-38 Lightning, qu'il devait utiliser comme appareil de reconnaissance.

Désorienté, il sombra dans une longue dépression et tout naturellement, se tourna vers Nelly de Vogüé qui arriva à Alger en août dans un appareil américain en provenance de Gibraltar. C'est à elle qu'incomba la tâche de lire les sept cents pages du premier jet de *Citadelle*, et elle dut fréquemment répondre à ses appels pour le rassurer sur son style et son état de santé avant de repartir pour Londres en novembre 1943. La présence d'André Gide et de plusieurs autres connaissances d'avant-guerre ne parvint pas à tirer Antoine de sa morosité. Son moral

145

dégringola encore d'un cran quand il se blessa au dos en tombant dans les escaliers et qu'il s'imagina déjà radié de l'armée pour cause d'invalidité. Enfin, après un confinement de huit mois au sol, il fut de nouveau admis dans le service actif.

Il avait profité de cette période d'inactivité imposée pour consacrer beaucoup de temps à ses écrits et continuer une intense correspondance avec Consuelo, qui répondait soit par de longs télégrammes ou de courtes cartes postales. En addition à ses lettres, il tissa dans l'écheveau compliqué de *Citadelle* des images de Consuelo comme celle de l'épouse endormie qui ne répond pas aux critères de perfection mais peut être rassurée sur son sort :

« De la considérer pour elle-même j'irais aussitôt me lassant et cherchant ailleurs. Car elle est moins belle que l'autre ou de caractère aigre ; et si même la voilà parfaite en apparence, reste qu'elle ne rend point tel son de cloche dont j'éprouve la nostalgie, reste qu'elle dit tout de travers "Toi mon seigneur" dont la lèvre d'une autre ferait musique pour le cœur.

« Mais dormez rassurée dans votre imperfection, épouse imparfaite. Je me heurte contre un mur. Vous n'êtes point but et récompense et bijou vénéré pour soi-même dont je me lasserai aussitôt, vous êtes chemin, véhicule et charroi, et je ne me lasserai point de devenir. »

Rien dans *Citadelle* n'est comparable au style simple du *Petit Prince* ou au ton implorant des lettres à Consuelo, mais la forme reste dans le cadre d'un schéma qui englobe tous les écrits de Saint-Exupéry, cette capacité à magnifier la réalité, par exemple à transformer sa répugnance pour les Maures du désert en un nostalgique souvenir de nobles

146

nomades. Avec la séparation, la métamorphose s'étendit à Consuelo qui devint un objet de semi-idolatrie mâtinée de sollicitude paternelle.

« Je suis terriblement angoissé jour et nuit à votre sujet. Je vous en supplie, protégez-vous, soignez-vous, gardez-vous. »

À Alger, les intimes d'Antoine recevaient de New York des échos de potins alléguant que Consuelo partageait maintenant l'appartement de Denis de Rougemont et, scandalisés, renouvelaient leurs pressions sur Antoine pour qu'il divorce. C'est ce moment opportun que choisit Consuelo pour lui adresser un message inhabituellement long de sa part, démentant les rumeurs calomnieuses et l'assurant qu'elle lui gardait un amour unique et intact, et l'accompagnait jour et nuit en pensées. Bouleversé, il la remercia de sa lettre « extraordinairement émouvante » par un magnifique chant d'amour en se reprochant de ne pas être près d'elle pour la protéger :

« Consuelo, merci du fond de mon cœur d'avoir tellement fait d'efforts pour demeurer ma compagne. Puisque je suis en guerre et tout à fait perdu sur cette immense planète, je n'ai qu'une consolation et qu'une étoile qui est la lumière de votre maison. Petit poussin, gardez-la pure.

« Consuelo, merci du fond du cœur d'être ma femme. Si je suis blessé j'aurai qui me soignera. Si je suis tué j'aurai qui attendre dans l'éternité. Si je reviens j'aurai vers qui revenir. Consuelo, toutes nos disputes, tous nos litiges sont morts. Je ne suis qu'un grand cantique de reconnaissance.

« Il y a trois semaines, passant par Alger, j'ai revu Gide. Je lui ai dit que c'était fini avec Nelly, que je t'aimais. C'est vous qui avez eu raison contre Nelly et contre Yvonne [de

147

Lestrange]. Si tu savais ce que je regrette le plus, Consuelo ? C'est de ne pas vous avoir dédié *Le Petit Prince.* »

Et la lettre continue avec une fable. « Chérie, je veux vous raconter un rêve très ancien que j'ai fait à l'époque de notre séparation. J'étais près de Nice dans une plaine. Et la terre était morte. Et les arbres étaient morts. Et rien n'avait d'odeur ni de goût. Et brusquement, bien que rien n'ait changé en apparence, tout a changé. La terre est redevenue vivante, les arbres sont redevenus vivants. Tout a pris tellement d'odeur et de goût que c'était trop fort, presque trop fort pour moi. La vie m'était rendue trop vite.

« Et je savais pourquoi. Et je disais : "Consuelo est ressuscitée. Consuelo est là !" Tu étais le sel de la terre, Consuelo. Et tu avais réveillé mon amour pour toute chose, rien qu'à revenir. Consuelo, j'ai alors compris que je vous aimais pour l'éternité.

« Consuelo chérie, soyez ma protection. Faites-moi un manteau de votre amour. Votre mari. Antoine. »

Pratiquement chaque nuit jusqu'à sa disparition, il éprouva le besoin de lui confirmer son indéfectible affection.

À quarante-quatre ans, il se retrouvait aux commandes d'un avion non armé, effectuant des vols de reconnaissance au-dessus de l'Est de la France, quelquefois poursuivi par des chasseurs allemands. Ses missions l'amenèrent à survoler les régions les plus chères à son cœur, celle de Lyon avec les souvenirs nostalgiques de son enfance au château de Saint-Maurice-de-Rémens, et la Riviera où résidaient sa mère et sa sœur, Gabrielle. Chaque jour, la DCA et les chasseurs ennemis ajoutaient des noms à leur lot de victimes parmi les pilotes de reconnaissance français et américains qui décollaient d'une base

148

militaire en Corse. Antoine voyait inexorablement la mort se rapprocher et prépara Consuelo à l'inévitable :

« Je puis recevoir un croc-en-jambe de Dieu, quelque part en France. Sachez qu'alors je ne regretterai rien, absolument rien, sinon de vous faire pleurer… Je ne regretterai rien d'autre parce que je n'ai rien à faire dans ces temps de procès haineux et imbéciles. »

Deux ans plus tôt, quand il écrivait *Le Petit Prince*, il avait dit à Paul-Émile Victor : « Tu sais, je ne pourrais pas vivre si mes actes ne correspondaient pas à ce que j'écris, et ce que j'écris correspond toujours à ce que je pense. » Une belle maxime de probité intellectuelle pour une belle épitaphe.

Pendant son dernier vol, il n'eut aucune possibilité de transmettre à Consuelo un ultime adieu. Pourtant, peut-être guidé par un pressentiment, il trouva un moyen pour lui faire parvenir une dernière marque de dévotion en dérogeant aux consignes militaires. Le 31 juillet 1944, quand son avion s'abîma dans les flots de la Méditerranée, Antoine avait au poignet une gourmette en argent portant les noms gravés d'Antoine et de Consuelo. Ni l'épave ni le corps de Saint-Exupéry ne furent retrouvés, seule la gourmette remonta des fonds marins dans des filets de pêcheurs à l'automne 1998. Le vœu d'Antoine d'être réuni avec Consuelo avait été accompli depuis longtemps, car elle le rejoignit en 1979, dix-neuf ans avant la découverte du message posthume.

L'adorable Consuelito

En 1945, Consuelo, selon ses confidences à Madeleine Goisot, refusa une proposition de mariage de Denis de

Rougemont (remarié en 1952) et quitta New York pour un retour triomphal en El Salvador. Elle découvrit là-bas que sa réputation atteignait des dimensions légendaires. Hébergée aux frais du gouvernement dans la suite de l'Hôtel Nuevo Mondo, réservée aux VIP, elle fut acclamée comme la Condesa ou « l'adorable Consuelito ». Soit à la suite de malentendus, soit par nécessité de justifier sa popularité, les journaux lui attribuèrent un sidérant palmarès académique, avec l'incontournable diplôme de la Sorbonne, et quantité de distinctions dont une médaille de la Résistance.

Dans le climat exotique de la capitale, San Salvador, elle se retrouva assaillie par une presse avide d'héroïnes nationales, fascinée par sa notoriété de muse. En plus des hommages des politiciens en place, elle reçut la visite de l'ancien président Molina, celui qui, vingt-cinq ans plus tôt, lui avait attribué une bourse d'études, qui lui avoua avoir tout de suite détecté chez elle une personnalité exceptionnelle qu'il n'oublia jamais. Pendant la durée de son séjour elle se plia avec grâce à la cour assidue de deux poètes locaux dont elle joua à attiser la rivalité, une nouvelle version de série B du scénario Vasconcelos-Gómez Carrillo. Pendant que les quotidiens énuméraient ses conquêtes en faisant d'elle l'Alma Mahler de l'Amérique centrale, l'un de ses soupirants, Rodolfito Mayorga Rivas, l'implorait de l'accepter comme secrétaire, et l'autre, Lisandro Alfredo Suarez, l'inondait de poèmes érotiques repris par la presse.

Après son départ, la légende continua sur sa courbe ascendante au gré des fantasmes des journalistes qui firent succomber Rudolf Valentino « au pouvoir dévorant de la magie unique de Consuelo ». Même Gabriele d'Annunzio ne fut pas épargné au centre d'un duel délirant entre

150

Eleonora Duse et Consuelo pour les caresses du maître où « la Salvadorienne l'emporta sur l'Italienne ».

Dans un tel contexte, même en tenant compte de son asthme, il est difficile de comprendre pourquoi Consuelo, maintenant une veuve de quarante-cinq ans, opta pour un retour en Europe où son mode de vie excentrique ne pouvait que lui attirer des critiques. Après une rapide escale à New York, elle rentra en France au printemps 1946, et arriva gare Saint-Lazare, où elle fut accueillie par son amie Madeleine Goisot.

Son avenir s'annonçait difficile. Elle se retrouvait sans domicile. La Feuilleraie avait été récupérée par son propriétaire, suite au non-paiement du loyer. Elle se réfugia temporairement à l'hôtel d'Orsay – transformé plus tard en musée – pour voir sa situation matérielle empirer quand le gouvernement français refusa de lui verser une pension de veuve de guerre. C'est finalement Gaston Gallimard qui l'aida à résoudre ses problèmes financiers tout en ignorant que *Le Petit Prince* deviendrait peu de temps après le livre le plus rentable de ses éditions.

Pour tromper son amertume, Consuelo passa beaucoup de temps à écrire une version romancée de sa vie avec Antoine où elle parla des grandes déceptions et des réconciliations. Le style du livre, tardivement publié, aux Éditions Plon, en 2000, intitulé *Les Mémoires de la Rose* – où elle se peint sous les traits de Dolorès et où se reconnait Nelly de Vogüé sous le prénom d'Elvira –, rappelle le mélange de réalité et de fiction contenu dans *Oppède*. Mais Consuelo avait peu de chance de faire publier son livre juste après la guerre. Ses critiques envers son mari allaient à contre-courant d'un culte du pilote héroïque, encouragé par Simone de Saint-Exupéry et Nelly de

Vogüé. À l'époque, la réputation de l'auteur, fondée sur sa mort glorieuse et son discours humaniste, était à son apogée. Le moment aurait été mal choisi de révéler des détails scandaleux sur un homme vu par un de ses biographes, Alain Vircondelet, comme affligé d'un « Donjuanisme pathétique ».

Le silence de Consuelo ne joua pas en sa faveur. Avec la biographie de Pierre Chevrier, longtemps référence incontournable, on a vite perdu la trace de la femme d'Antoine, une conséquence qui lui causa beaucoup de peine. Marcel Migéo, auteur d'une *Vie de Saint-Exupéry* publiée en 1958, rappela que Consuelo a souvent dit qu'elle ne comprenait pas pourquoi elle était ignorée du monde littéraire, ajoutant : « Après tout, sa femme a joué un rôle important dans sa vie. »

Très peu de gens savaient la vérité, bonne ou mauvaise, de ses treize ans passés ensemble, et elle était morte depuis cinq ans quand son héritier dispersa publiquement aux enchères une collection de lettres d'Antoine, la plupart achetée par Nelly de Vogüé. Dans l'ensemble, cette correspondance montrait de l'influence de Consuelo une image plutôt néfaste, largement contredite par le contenu de ses *Mémoires*.

Même si les années d'après-guerre lui réservèrent beaucoup de déboires et de déceptions, elle fit preuve d'une remarquable force de caractère, opposée à l'apparente fragilité qui attirait les hommes. En plus de sérieuses crises d'asthme, elle dut faire face à de déprimantes batailles juridiques avec Nelly de Vogüé sur l'héritage littéraire d'Antoine. Enfin sa situation s'améliora, grâce aux avocats payés par Gallimard, quand l'État lui reconnut le statut de veuve de guerre et lui versa rétroactivement une pension.

Elle se remit à peindre et, à l'automne 1948, tenait sa première exposition de tableaux, la plupart peints aux États-Unis. Sa recherche constante d'un palliatif à son asthme la conduisit un certain temps à une forme de vie itinérante jusqu'à son emménagement dans un appartement rue Barbet de Jouy, qu'elle avait déjà occupé dans le passé.

L'absence de Consuelo de Paris pendant la guerre et les échos qui y parvinrent de New York n'avaient pas contribué à rehausser son image auprès de ses détracteurs. Ensuite, ses différents conflits avec la famille de Saint-Exupéry pour récupérer sa part des droits d'auteur sur l'œuvre de son mari lui aliénèrent des amitiés dans le cercle d'Antoine. Seule Marie de Saint-Exupéry ne la désavoua jamais, mais au contraire devint sa protectrice et l'invita dans sa maison de Cabris qui recevait également la visite de Clara Malraux, l'ex-femme de l'écrivain devenu ministre.

Marie et Consuelo se rencontrèrent fréquemment quand celle-ci acheta une bâtisse à restaurer dans les hauteurs de Grasse et s'y installa dans l'espoir que le climat méditerranéen serait bénéfique à sa santé. Le mas fut baptisé Mas Saint-Exupéry et, plus tard, la municipalité aménagea la rue qui prit le nom de boulevard Saint-Exupéry. De la propriété, on aperçoit au loin les eaux de la Méditerranée où Antoine disparut un dernier jour du mois de juillet.

À partir des années soixante, Consuelo consacra la majeure partie de son temps à la peinture, à la sculpture de bustes de Saint-Exupéry et à des conférences sur l'œuvre littéraire d'Antoine. Au cours d'un déplacement aux États-Unis, elle tenta de reprendre contact avec Vasconcelos qui refusa de la revoir car, selon son secrétaire, il souhaitait conserver le souvenir de sa Charito dans la fleur de ses vingt ans. De sa tombe au Père-Lachaise,

Gómez Carrillo réclama lui aussi un peu d'attention, et, en 1967, les autorités guatémaltèques proposèrent de rapatrier sa dépouille qui serait inhumée dans un parc de la capitale sous un monument à sa mémoire. Consuelo donna son accord à ce projet à condition que la nouvelle sépulture soit dominée par une statue équestre de son deuxième mari ; une exigence jugée ridicule par la famille Carrillo, Enrique n'ayant jamais pratiqué l'équitation. Finalement, le Guatemala dut se contenter d'une cérémonie symbolique lors de l'inauguration d'un buste de l'écrivain au pied duquel on éparpilla une poignée de terre provenant du cimetière parisien.

Les problèmes respiratoires de Consuelo s'accentuèrent avec l'âge et elle ne trouva un soulagement que dans des cures thermales à Montecatini, en Italie. Six ans après une dernière visite à sa famille au Salvador, Consuelo s'éteignait à Grasse le 28 mai 1979, à la suite d'une sévère crise d'asthme. Rendue amère par toutes les tensions autour de l'héritage littéraire de Saint-Exupéry, elle riposta de façon posthume en léguant avant son décès tous ses biens et droits d'auteur, y compris ceux de Saint-Exupéry, à son secrétaire, José Martinez Fructuoso.

Consuelo fut la preuve concrète qu'une vie sentimentale bien gérée peut être plus rentable qu'une hacienda, selon le proverbe de son pays, autant sur le plan matériel que spirituel. Elle repose au Père-Lachaise auprès de Gómez Carrillo, l'homme qui fit d'elle une femme riche. Sur la pierre tombale l'inscription « Consuelo de Saint-Exupéry » rappelle le nom du troisième mari qui l'immortalisa sous les traits de la Rose.

À PROPOS LA BIOGRAPHIE DE PAUL WEBSTER
SAINT-EXUPÉRY, VIE ET MORT DU PETIT PRINCE

[Cette biographie] abonde en informations inédites. Ses relations avec sa femme Consuelo sont notamment éclairées d'une lumière nouvelle. De même que ses sentiments politiques après le désastre de 1940.   Eric Deschodt, *Figaro-Magazine*

Le livre de Webster révèle un personnage tendre, un peu distrait qui n'était peut-être pas le grand pilote qu'on imagine. Un homme, en tout cas, passionné, poursuivi par des mondaines en mal de cambouis mais prêtes à partager la moindre richesse et la plus précieuse, l'amitié. Paul Webster a gagné : c'est un sacré chic type et un héros délicieusement imparfait qu'il fait revivre.   *Nice Matin*

La grande force de ce livre consiste à présenter Saint-Exupéry tel qu'il fut et non tel qu'une image réductrice le présente après une lecture superficielle de ses œuvres. Paul Webster raconte admirablement le destin de ce poète-philosophe.   *La Marseillaise*

La biographie de Webster est écrite avec un charme et les recherches sont impressionnantes. L'énigme de sa vie est révélée avec intelligence.   *International Herald-Tribune*

[La biographie de Paul Webster] révèle les aspects les plus intimes d'un homme d'honneur.   *Livres hebdo*

Sa vie entière fut jalonnée de déceptions, certaines cruelles, et de contradictions qui le renvoyèrent d'un camp à l'autre notamment pendant la Seconde Guerre mondiale, période que Webster connaît bien pour avoir notamment publié *L'Affaire Pétain*.   *DNA*

Toute la force du livre de Paul Webster réside en un personnage, Consuelo Suncin rencontrée en Argentine. Elle devint sa femme. Jusqu'à présent dénigrée, son influence sur Antoine est grandement mise en valeur.   *Le Figaro*

A lire comme Saint-Ex a vécu, sans reprendre son souffle, les fols enthousiasmes de camaraderie et les tumultes passionnés de son mariage avec Consuelo Suncin.   *Le Maine libre*

Une rigoureuse et vivante biographie.   *La Libre Belgique*

Des révélations qui apportent des touches nouvelles au portrait d'un homme d'exception.   *Le Républicain lorrain*

Webster explore, avec une touche sûre et sensible, toutes les facettes du caractère et de la vie aventureuse de ce héros décrit avec une prose limpide.   *The Tablet*

Le livre de Paul Webster nous envoûte.   *Literary Review*

Une biographie absolument fascinante.   *BBC*

Webster relate la vie entière de Saint-Exupéry avec intelligence.
                                                Financial Times

Quelle que soit l'image perçue de Saint-Exupéry à travers ses écrits, cette biographie vous révélera un homme beaucoup plus complexe.
                                                 The Observer

Webster présente avec talent tous les aspects du caractère de Saint-Ex. Il est toujours intéressant sur le milieu familial et le climat politique qui a formé ses vues.   *The Spectator*

Par un éminent spécialiste britannique de la France contemporaine, une bio intelligente, très sérieuse mais remarquablement vivante.
                                                  Le Progrès

Ce livre a toutes les vertus. Les recherches sont méticuleuses, le livre est bien écrit et abonde en aperçus psychologiques très perspicaces. Un livre excellent.   *The Sunday Telegraph*

Paul Webster est excellent sur Vichy, un sujet dont il a tiré un autre livre, *L'Affaire Pétain* (Félin).   *The Independent*

Webster montre que les Français ont besoin plus que jamais d'Antoine de Saint-Exupéry.   *El Pais*

BIBLIOGRAPHIE

Barrientos, Alfonso, *Enrique Gómez Carrillo,* Guatemala, 1979.
Bruyère, Stacy de la, *Saint-Exupéry,* Albin Michel, 1994.
Cate, Curtis, *Antoine de Saint-Exupéry,* Paragon House, 1970.
Chadeau, Emmanuel, *Saint-Exupéry,* Plon, 1994.
Chevrier, Pierre, *Antoine de Saint-Exupéry,* Gallimard, 1949.
Chevrier, Pierre, *Saint-Exupéry,* essai, Gallimard, 1959.
Chiaro, Pietro, *Vita di G. D'Annunzio,* Mondadori, Milan, 1978.
D'Annunzio, Gabriele, *Triomfo della Morte,* Mondadori, 1940.
Deschodt, Éric, *Saint-Exupéry,* Lattès, 1980.
Icare (Air France Revue), 1974-1981.
Kessel, Patrick, *La Vie de Saint-Exupéry,* Gallimard, 1954.
Lars, Claudia, *Tierra de infancia,* UCA, El Salvador, 1974.
Migéo, Marcel, *La Vie de Saint-Exupéry,* Flammarion, 1958.
Persane-Nastorg, Michèle, *Marie de Saint-Exupéry,* Robert Laffont, 1995.
Rémens, Simone (Saint-Exupéry) de, *Météores,* Taupin (Hanoi), 1943.
Rougemont, Denis de, *Journal d'une époque,* Gallimard, 1968.
Rougemont, Denis de, *L'Amour et l'Occident,* Plon, 1939.
Saint-Exupéry, catalogue d'exposition, Archives nationales, 1984.
Saint-Exupéry, Consuelo de, *Oppède,* Brentano, New York, 1945.
Saint-Exupéry, Consuelo de, *Les Mémoires de la Rose,* Plon, 2000.
Tavernier, René, *Saint-Exupéry en procès,* Pierre Belfond, 1967.
Vasconcelos, José, *La Tormenta,* Mexico City, 1936.
Vircondelet, Alain, *O Consuelo,* Éditions du Chêne, 2000.

TABLE DES MATIÈRES

CET OUVRAGE, PUBLIÉ SOUS L'ÉGIDE DE KIRON ESPACE,
CENTRE D'ART, DE CULTURE ET DE COMMUNICATION
DU GROUPE PALLADIUM,
A ÉTÉ IMPRIMÉ PAR L'IMPRIMERIE DARANTIERE À QUETIGNY
POUR LE COMPTE DES ÉDITIONS DU FÉLIN
EN AVRIL 2000

KIRON
ESPACE

Imprimé en France

Dépôt légal : 2e trimestre 2000
N° d'impression : 20-0331